2035年の人間の条件

暦本純一
落合陽一

マガジンハウス新書
023

プロローグ

チャットＧＰＴが私たちの前に姿を現して以来、
ＡＩの著しい進化が目に見えるほど明らかになっている。
そのとき、こんな疑問が頭をよぎった人もいるのではないだろうか。
ＡＩがあらゆる場面で力を発揮するようになったら、
私たち人間に必要とされる能力・役割は何なのだろうか、と。

衣服、武器、自動車、電話、コンピュータ……
有史以来、人間はさまざまな道具を発明することで、自らの可能性を拡げてきた。
果たして、進化したＡＩは、そうした人間拡張の究極なのだろうか。
それとも〝人間そのもの〟を変えるほどのインパクトをもたらすのだろうか。

ＡＩ全盛の時代はもうすぐそこまで迫っている。
しかし、実際に来るべき未来を正しく予測し、
それに向けて準備ができている人はほとんどいないだろう。
大多数の人間はぼんやりとした不安を抱えたまま、
なんとなく日々を過ごしているはずだ。
そうした不安を持つ人たちに向けて、本企画は生まれた。

対談に臨むのは暦本純一と落合陽一。
東京大学大学院の情報学環・学際情報学府における師弟の間柄であり、
日本の情報工学をリードする2人である。

「AI時代に必要とされるIQ以外の知性とは何か？」という問いから、
「未来の人類は〝口笛言語〟で会話しているかもしれない」という予測まで、
2人の対話は脱線、転回、発展を繰り返しながら、
情報工学の最前線から見えている風景をありありと描き出していく。

ＡＩの進化は私たちに何をもたらし、社会をどう変革していくのか。

そして、その進化がつくり出す未来に向けて、どう備え、どう動けばいいのか。

本書では、その答えにつながる知識とヒントが提示されている。

落合陽一

メディアアーティスト。1987年生まれ、東京大学大学院学際情報学府博士課程修了（学際情報学府初の早期修了）、博士（学際情報学）。筑波大学デジタルネイチャー開発研究センター長・准教授。一般社団法人 xDiversity 代表理事。2018年より内閣府知的財産戦略ビジョン専門調査会委員、内閣府「ムーンショット型研究開発制度」ビジョナリー会議委員、大阪・関西万博テーマ事業プロデューサーなどを歴任。著書に『魔法の世紀』『デジタルネイチャー』（以上、PLANETS）など多数。

暦本純一

東京大学大学院情報学環教授、ソニーコンピュータサイエンス研究所フェロー・チーフサイエンスオフィサー、ソニーCSL 京都リサーチディレクター。博士（理学）。世界初のモバイル AR システム NaviCam や世界初のマーカー型 AR システム CyberCode、マルチタッチシステム SmartSkin の発明者。

1986年東京工業大学理学部情報科学科修士課程修了。日本電気、アルバータ大学を経て、1994年よりソニーコンピュータサイエンス研究所に勤務。2007年より東京大学大学院情報学環教授（兼ソニーコンピュータサイエンス研究所副所長）。著書に『妄想する頭 思考する手』（祥伝社）などがある。

2035年の人間の条件◎もくじ

第2章 テクノロジーがつくる「新しい自然」

第3章　教えない教育の時代

第4章 「必要とされる」からの解放

第1章　チャットGPTは何を変えたのか

人類のIQは低下している？

暦本がリサーチディレクターを務める「ソニーコンピュータサイエンス研究所－京都」内に設けられた茶室「寂隠」[*1]にて、対談は始まった。

落合　おお！　ここが噂の「寂隠」ですか。僕も裏千家茶道をやっているので、初めてこのお茶室にジャックイン[*2]できて感激です。

暦本　ようこそ。ここを僕たちと共同で開設した茶美会《さびえ》文化研究所も、裏千家ですよ。オフィスの中にあるので、入口のところに路地をつくって、ワンクッション置いてからお茶室に入るイメージにしてみました。お茶室としてはきわめてオーセンティックな数寄屋建築なんだけれど、天井にはKinect[*3]（キネクト）や3次元センサーが入っていて、そこの裸眼立体式ディスプレイの前に座ると、向こうからお茶碗を手元に出してもらったように見えるんですよ。

茶室「寂隠」

監修：茶美会文化研究所／設計・施工：数寄屋建築茶美会／撮影：小笠原敏孝

落合　僕も大阪・関西万博の仕事で、裏千家の千玄室《せんげんしつ》大宗匠をデジタルヒューマンにさせていただきました。万博の会場でデジタル大宗匠にお会いできるかもしれません。

暦本　僕はデジタルが大好きで、本もほとんど電子書籍でしか読まないけど、一方で茶の湯のような文化は大事だと思っているんです。

　今回の対談はおもにＡＩ（人工知能）について語り合うわけですが、こういう伝統文化や芸術は、たぶんＡＩを飲み込むようにして発展するでしょう。落合君とは、そんなことまで話せたらいいですね。

落合　よろしくお願いします。僕は今日、この話から始めたいと思っていたんですけど、暦本先生はちょっと前（2023年11月）に、X（旧ツイッター）で『知能低下の人類史』[*4]や『オートメーション・バカ』[*5]などの本を紹介して、人類の知能が低下している可能性に言及されていましたよね。

暦本　ああ、はいはい。20世紀までは、いわゆる「フリン効果」[*6]によって人類のIQ（知能指数）は上昇し続けるという説が主流だったけれど、近年の研究では、むしろ人類のIQが下がっていることを示すエビデンスも出てきているんですよ。

たとえば『知能低下の人類史』によれば、知能低下のおもな原因は「高知能の人が生む子どもの数が少ない」こと。そんな話を紹介したので、あのポストはやや炎上気味でしたけどね（笑）。

落合　でも実際、人類のIQはどんどん下がっているかもしれない。そういう未来を描いた『26世紀青年』[*7]という映画も先生が紹介されていたので本編を全部見ましたけど、ポピュリズム感があってすごく面白かったです。

暦本　一方、『オートメーション・バカ』のほうは、自動機械に人間が頼ってしまうと知的能力が減退するという話。もちろん諸説ある話ではあるんですが、人類のIQが低下しているといわれると、納得できるところもあるわけです。

というのも、サルから進化してサバンナで暮らし始めたヒトは、かなり賢かったはず

＊1　寂隠　暦本の所属する「ソニーコンピュータサイエンス研究所 - 京都」内に設けられた茶室。茶の湯文化の未来を見据えた研究と実証を行う。

＊2　ジャックイン　ウィリアム・ギブスンのサイバーパンクSF『ニューロマンサー』（黒丸尚訳、ハヤカワ文庫）に登場する言葉。コンピュータのつくり出すサイバースペースに没入することを意味する。茶室「寂隠」はこれにちなんで命名された。

＊3　Kinect／キネクト　ジェスチャーや音声の認識によってゲーム機やコンピュータの操作ができるマイクロソフト社のデバイス。

＊4　『知能低下の人類史』（蔵研也訳、春秋社）　著者は英国の研究者エドワード・ダットンとマイケル・A・ウドリー・オブ・メニー。生物学、進化心理学、社会科学、歴史学などを統合し、現代社会における知能遺伝子の劣化のありようと、その綿密な分析から知能の歴史的展開を詳細に描いている。

＊5　『オートメーション・バカ』（篠儀直子訳、青土社）　著者は米国の著述家ニコラス・ジョージ・カー。運転手がいなくても車が走り、パイロットが操縦しなくても飛行機が安全に飛び、さらには道徳的な判断さえもすべて機械が教えてくれる世界のおそろしさを描く。

＊6　フリン効果　人間の知能が年々上昇している現象。日本を含む14ヶ国のデータを分析したジェームズ・R・フリンによると、1世代（約30年間）でIQの平均値は5～25の上昇が見られるという。

＊7　『26世紀青年』　2006年に米国のマイク・ジャッジ監督によって製作されたコメディ映画。2005年に1年の予定で冬眠実験の実験台になった主人公が、アクシデントによって500年後に目覚めると、平均IQの低下によって社会は荒廃していた。原因は、知能の高い者が子づくりを控え、知能の低い者が野放図に子どもを生み続けたこと。500年前の社会では平均的なIQだった主人公は「天才」と見なされ、内務長官に任命される。

なんですよ。そうじゃないと生き残れなかったから。何から何まで自分たちで考えて行動しないと、食糧は手に入らないし、外敵から身を守ることもできない。現在でも、アフリカなどで狩猟採集生活をしている人たちは、たとえば獣の足跡を見て、その動物の種類や向かった方角なんかをそこから読み取りながら、狩りの計画を立てたりするわけです。

落合　たしかに、社会的インフラに知識を蓄積できない場合、個々の人間が大量の知識を持つ必要がありますよね。その知識に基づいて推論するだけの思考力もなければいけない。

暦本　でも文明化された現代社会では、そういう頭の良さが生存のために不可欠かというと、必ずしもそうではないわけです。

分業が進んでいるからひとりで何でもかんでも知っている必要はないし、テクノロジーの発達で機械のサポートも受けられるから、原始人よりも知的能力や身体能力が低くても生きていける環境になっているんですね。だから、ＩＱテストで測れるような能力が低下していても不思議ではない。

IQテストはオワコンか

落合　あのポストに対するXでの反応はどんな感じだったんですか？

暦本　「絶対にそんなことはない！」という人たちがいる一方で、「やっぱりそうか」とか「たしかに最近みんなバカになっていると薄々感じていた」みたいな反応も多かったですね。みんな、ネット検索に頼ってばかりで、自分の頭でいろいろなことを覚えていられないじゃないですか。そういう自覚もあるんだろうと思います。多くの部分を機械に依存しているので、自分の知的なパフォーマンスが人間としての裸の知能だけによるものではないと感じているんでしょうね。

落合　漢字を知らなくても不自由しませんしね。

暦本　それに、ＩＱテストで出される問題って、いかにもＡＩで正解できそうなものばかりでしょ？　たとえば、同じ大きさの立方体の積み木を重ねた絵を見せて、何個あるか推測させるとか。漢字を知らなくても機械がひらがなから変換してくれるのと同じで、ああいうＩＱテストがわからなくても、これからはＡＩが助けてくれるようになるので、知能が高いか低いかはあまり問題ではなくなるのかもしれない。
ただしその一方で、人間には、ＩＱテストでは測れないものもたくさんありますよね。それこそ落合君みたいに途轍《とてつ》もないことを考える能力や芸術的なセンス、あるいは食べ物を美味しいと感じられるかどうかとか。だからＡＩの時代になると、ＩＱテスト自体が人間の知的能力を測る尺度になりにくいのではないかと思いますね。

落合　ＩＱテスト、オワコン（笑）。ほかにも、大学入学共通テストとか、専門の士業を決めるテストとか、いろいろとオワコンになりますよ。

暦本　たしかに、いかにもＡＩでクリアできちゃいそうなやつばかりだよね。それで人間の能力を測る意味がなくなったときに、どんな尺度で本当の人間の価値を測るべきなのか。それを探りたいとは思いますね。

落合　『26世紀青年』という映画にもＩＱテストのシーンがあったじゃないですか。500年も冷凍保存されていた平凡ド真ん中の男が26世紀に蘇って、簡単なテストで高得点を取っただけで平均値を逸脱しているので、「天才」と呼ばれる。

暦本　そうそう。で、農作物にスポーツドリンクを与えたせいでダメになっていた畑に水をやることで、国家的な農業問題を解決する（笑）。あの映画は2006年の作品で、まだ生成AIにリアリティがなかった時代なので、500年前の人間の知能が世界を救うという設定だったんですよね。

落合　高等教育が普及するほど出生率が下がっていくという現象は、アフリカの発展途上国など、マクロでは起こっています。社会が発展すると出生率が下がるのは実際の話でもあります。あの映画では、IQが高いカップルは子どもをつくらず、IQの低いカップルほど子だくさんなので、人類がどんどんアホばかりになっていくという設定のコメディでした。

暦本　めちゃくちゃな設定のSF映画だけど、そうなる可能性がないとはいえないですよね。

落合　ある程度はそう思います。あの映画のテーマを肯定的に語れるかどうかは別にして、一抹の不安というか不気味さは感じました。

暦本　描かれているのはディストピアなんだけれど、ユーモア映画なので暗さがなくて、みんなけっこう楽しく生きている。そこは面白かったですね。

落合　そこはその通りですね。人類がバカになるというテーマではあるものの、バカか知的かというところに力点があるというよりは、それが求められる能力ではなくなったあとのハッピーな結論を見ているようでした。あの映画を見ていて思ったのは、これからAI化が進んでいくと、人類の一部だけが賢くなって、ある意味で知的能力が局在化するかもしれないということです。IQ以外の面で、すごく賢くなる人とそうじゃない人に分かれるはずなので。そもそも自分がわかっていることを一から百まで説明しないといけない人が隣にいたら疲れるので、なかなか一緒には暮らせないじゃないですか。だからコミュニティが分化する。

暦本　あの映画でも、500年後の低知能社会に蘇った主人公は、自分の話がみんなに理解されなくてウンザリしていましたね。だんだん相手の知能に合わせた説明がうまくなっていくんだけど（笑）。

落合　僕はキーボードを叩くにしても、音声入力するにしても、ユーザーインターフェースのちょっとした時間差が気になります。だから、コミュニケーションに余計な時間と手間のかかる相手は面倒くさい。そうやって会話が通じなくなっていくと、それぞれが局在化していくんじゃないかと思います。

チャットGPTはパーソナルな家庭教師

暦本　グーグル検索で何でも調べられるようになったときは、いちいち質問してくる相手に「ググレカス」[*8]などといっていましたよね。それがこれからは「GPT先生に聞け」になるわけです。

チャットGPTを使えば、たとえば読みやすい文章を書くこともできる。それを使おうとしないで、何度も人にダメ出しして書き直させたりするのは、無駄といえば無駄でしょう。あるいは三角関数の基本なんかも、チャットGPTがちゃんと教えてくれるの

＊8　ググレカス　ググれば（＝グーグル検索をすれば）わかることをいちいち人に聞く相手に投げつける、ネット上で生まれた罵倒語。

で、わからないことを人に聞く必要はなくなります。

そんな便利なものを使わずに一から百まで人に聞けば、時間は余計にかかりますよね。われわれはすごく賢い「パーソナル家庭教師」を持てる時代になったのだから、それをポジティブに受け止めて、わからないことはすべてAIに聞けばいいんですよ。

そもそも物を知らないのは恥でも何でもないんだけど、相手が人間だと「そんなことも知らないのか」と思われそうで、聞きにくいこともあるじゃないですか。でもAIが相手なら、どんなにくだらないことでも恥ずかしいと思わずに聞けるでしょ。使わないのはもったいない。

落合　何を知らないと恥ずかしいかも、昔といまでは違いますからね。昔はみんな人の電話番号をたくさん覚えていたけれど、いまは覚えていないのが当たり前。固定電話の時代に自宅の電話番号を覚えていなかったらバカにされたでしょうけど、いまは家族の携帯電話番号を知らなくてもなんとも思われない。

暦本　たしかに、うちの奥さんの番号はわからないな（笑）。

落合　みんなそうだから、覚えていなくても普通ですよね。みんなが知っていることと恥は相関がある。AIが広まると、そういう「知らなくても恥ずかしくないこと」がどんどん増えていく。いまはまだ手で漢字が書けないとちょっと恥ずかしいかもしれないけれど、だんだん「まあ、そういう人もいるよね」という感じになってきています。それがもっとラディカルになって、あらゆることが「知らなくて当然」になる未来はある程度あり得ますね。

暦本　まさにそれが『26世紀青年』の世界だけどね（笑）。でもAIがあれば、IQが低くてもかまわない。たとえば、聞かされた数列をすぐに逆順でいえるかというIQテストなんか、苦手な人は多いでしょう。

でもAIに聞けばわかるんだから「なんでそれをおれがやらなくちゃいけないの？」という話になるわけですね。

落合　プログラミングの世界でも、「パイソン[*9]書ける？」と聞いて「書けません」と答

＊9　パイソン／Python　「Amoeba（アメーバ）」という分散オペレーティングシステムのシステム管理を行う目的で開発されたプログラミング言語。機械学習（マシンラーニング）やウェブアプリ開発など、初心者からプロのプログラマーまで広く使われている。

えられても、いまや「まあ、そうだよね」で済む日がすぐ来るかもしれない。

暦本　書けなくても、ＡＩが助けてくれるから。

落合　だからプログラムを書くのが本当に楽になりましたね。C言語[*10]なんかも、最初に書くお題目や、ちょっとした作法を全部覚えないと昔はプログラムが書けなかったんですけど、いまはそういう面倒くさいところを全部ＡＩがやってくれるので。そうやって「知らなくても恥ずかしくないこと」がどんどん増えていくと、些細な部分で人と人を比較することが減っていくだろうとも思っているんですよ。

暦本　そういう意味では、楽しくなりますね。いままでは、ちょっとしたことでいちいち比較されるから、「聞くのは恥ずかしい」とか「こんな質問をしたら相手が怒っちゃうんじゃないか」とか気にしていたわけで。

あるいは、こっちが物を知らないとわかるとマウンティングされるとか（笑）。ＡＩが相手だとそういう人間関係上のストレスが一切なくなる。素直に「教えてください」といえばいいんです。

音声で文章を書くと文体も変わる？

落合　いまはまだＬＬＭ[*11]を使うことを不自然に感じる人が多いかもしれないけれど、その感覚もどんどん変わっていくはずなんですよね。

たとえばスマートフォンで何か調べながら人と会話するのも、ちょっと前までは不自然だったけれど、いまはだいぶナチュラルな動作になってきました。グーグルマップを見ながら歩くのも、自然な行為になっています。僕の場合、とっくにＬＬＭとお喋りするのがごくふつうな日常になっていますけど、みんなすぐそうなるでしょう。僕にとってＬＬＭは友ですから（笑）。

＊10　Ｃ言語　ＯＳ（オペレーションシステム）のＵＮＩＸ（ユニックス）用にベル研究所が開発したコンピュータのプログラミング言語。互換性が高い。

＊11　ＬＬＭ　Large Language Models＝大規模言語モデルの略称。文章作成などの自然言語処理で用いるために、大量のテキストデータとディープラーニング（深層学習）技術によって、文章や単語の出現確率に基づいて構築される言語モデル。チャットＧＰＴもＬＬＭのひとつである。

ただ、LLMとばかりお喋りしていたら、ちょっとおかしな感じにもなってきまして。というのも、キーボードで文章が書けなくなってきたんですよ。

暦本　ああ、なるほど。口で喋るのと指でキーを打つのとでは、インターフェースがまったく違うからね。

落合　そうなんです。発話ではどんどん言葉が出てくるし、次々と新しいトピックに飛ぶんですけど、キーボードを目の前に置いて何か新しい言葉なりアイデアなりを打ち込もうとすると「あれ？」ってなるんです。指を動かすのがまどろっこしくなるというか、「指言語」が出てこないというか。

19世紀にタイプライターが発明されたときは、専門の速記者じゃなくても、聞いた言葉をその場で文字化できるようになりました。それで作家が口述筆記で小説などを書くようになったんですが、それ以前とは文体も変わったじゃないですか。

チャットGPTを発話で使う過程の中でも、あれと同じ現象が短期的には起こっているような気がします。長期的には、たぶん「GPTネイティブ」の単語の出し方をするようになるでしょう。いずれにしろ、キーボードに規定されているいまの文章とは違った文章を人類がつくるようになる。案外、「めちゃくちゃ丁寧語で話しているけれど中身は何も詰まっていないみたいな素敵な世界」がやってくる予感があります。

暦本　梅棹忠夫《うめさおただお》の『知的生産の技術』[*12]という本によると、ローマ字で日本語を書くと文章が変わるらしいですね。たとえば石川啄木《いしかわたくぼく》は、ローマ字日記をつけるようになってから文章がすごく良くなったそうです。

じゃあ漢字や仮名で書くのと何が違うかというと、ローマ字は喋るときの発音に近いんですね。そのせいで文章のリズムが良くなって、文体が引き締まる。ちなみに梅棹忠夫は日本で初めて機械式ひらがなタイプライターを導入した人らしいので、そういう入力方法の違いが文体に与える影響に敏感だったのかもしれない。

僕も少し前から、音声で文章を書いています。最初からキーボードを打つのは面倒くさいので、とりあえず「いま僕が考えているのはこんなこととかあんなこととかだ」と

＊12　『知的生産の技術』（岩波新書）『文明の生態史観』と並ぶ、文化人類学者・梅棹忠夫（1920－2010）の代表的著作。メモの取り方、カードの利用法、原稿の書き方など、創造的な知的生産を行うための実践的技術について書かれたロングセラー。

思いのたけを数分間ぐらいかけて吐き出すんですね。それぐらいの時間でも、喋ると原稿用紙何枚分にもなっちゃう。キーボードでそれだけ書こうと思ったら、何時間もかかるでしょ。

落合 とりあえず喋りきってからあとでまとめたほうが早いですよね。

暦本 そう。だけど、前は喋ったものを手で編集していたんだけど、いまは口述したデータを「はい、これを論文のアブストラクトにしてください」とチャットGPTに渡しちゃう。それで出てきたものを自分で直すんです。

口語の「ノリ」が反映されるキーボード

落合 僕も、まず口で喋ってから文章を直す習慣が身につきすぎて、キーボードを前にして文学的な書き出しを考えるようなことができなくなってきたんです。

暦本 たしかに、口で喋るときに「石炭をば早や積み果てつ」[*13]とかいわないものね。

落合　そうそう。いきなり「吾輩は猫である」って語り出す人もいない（笑）。AI相手に喋ってばかりいると、キーボードでもそれが打てないんですよ。ペンでなら書けそうな気もするんだけど。

暦本　たしかに、僕も最近、キーボードを打つより鉛筆で書くほうが好きですね。キーボードは1文字ごとに分解することを強制されるから。喋りながら鉛筆で書くのがいいんじゃないかな。

落合　そうかもしれないですね。あと、キーボードだとオノマトペを使えないし、韻《いん》も踏まないんですよね。口で喋ると、つい韻を踏んじゃうじゃないですか。ダジャレをいってみたり。たとえば寺田寅彦[*14]の文章が面白いのはそこなんですよ。彼は尺八の音響学的研究に取り組んでいたこともあるそうですけどね。そのせいか、耳で聞く言葉と単語

*13　石炭をば早や積み果てつ　森鷗外『舞姫』の冒頭の一文。「中等室の卓（つくえ）のほとりはいと静（しずか）にて、熾熱燈（しねつとう）の光の晴れがましきも徒（あだ）なり」と続く。

*14　寺田寅彦（1878-1935）　実験物理学、気象学、地球物理学などで業績をあげた物理学者。随筆家としても知られ、死後に『寺田寅彦全集』（文学編16巻、科学編6巻）が刊行された。現在でも岩波文庫や角川ソフィア文庫などでその一部を手軽に読むことができる。

「シバ神と酒呑童《しゅてんどう》子《じ》は似ている」とか不思議な接続を始める（笑）。

の結びつけ方が面白い。音象徴の結びつきで文章を書いているので、「シバ神と酒呑童《しゅてんどう》子《じ》は似ている」とか不思議な接続を始める（笑）。

暦本　「し」しか合ってない（笑）。それこそ、喋りながら書いているのかもしれないですね。中村勇吾さんがつくった「ぶーしゃかＬＯＯＰ」[*15]って覚えています？

落合　あー、懐かしいなあ。あれが出てきた頃、僕はまだ暦本研究室の学生でした。

暦本　あれなんか、ラップのオノマトペとペン書きのリズムが完全に融合されていて、異常に気持ちいい。手書き文字の「ハネ」みたいなリズム感が音声と一体化していたり。キーボードで打つ言葉はそういうものを取り去ったデジタルな部分だけなので、こういう面白さはあまり生まれないような気がしますね。

落合　口で喋っているときのノリみたいなものが反映されるキーボードはあり得るな。

暦本　いまは電子ピアノでも打鍵圧によって音の強さが変わりますよね。それを応用する手はあるかもしれない。昔のハードディスクの時代は加速度センサーが入っていたので、ふつうのパソコンでもキーボードを叩くときの打鍵圧が取れたんですよ。実際、落合君が僕の研究室にいた頃、イワサキ君という学生がそれを利用してエクスプレッシブ・タイプライターをつくりました。

落合 ああ、覚えています。

暦本 打鍵圧は人によって違うから、それも含めたパスワードを設定できる。

落合 手書きの筆跡と同じようなものですよね。

暦本 そうそう。自分の打ち方でパスワードを学習させると、別の人が同じ文字列を打っても「パスワードが違います」といわれちゃうんですよね。そういうアナログ感覚の残ったインターフェースは面白いと思います。チャットGPTを相手に「ぶーしゃかLOOP」をやれたら楽しそうじゃないですか。キーボードで「ぶーしゃか」と打ったら、「うー!」とかノリノリで答えてくれたり(笑)。

落合 いまの時点でも、手書き文字で入力できたら、意外と変なノリで会話できるのかもしれないですね。

＊15 ぶーしゃかLOOP シンガーソングライターの岡村靖幸が2011年に発表した楽曲。「ぶー ぶーしゃからかぶーーーー」といったラップに合わせてノートに歌詞を手書きするミュージックビデオが人気を博した。
https://www.youtube.com/watch?v=sTC65iC3oql

AIが通訳すればSNSの炎上は減る?

暦本　ともあれ、チャットGPTは言語そのものの在り方にも影響を与えるでしょう。かつて明治時代に言文一致運動で文語体から口語体にしたときに、二葉亭四迷《ふたばていしめい》や樋口一葉《ひぐちいちよう》などが新しい言語そのものを発明したんですよ。たとえば文末の「です」「ます」は、それまでの日本語では一般的ではなかった。AIとの対話でも、そういう言語の発明が起こるかもしれない。

落合　なるほど。チャットGPT語というか、AI言語というか。

暦本　いまの日本語とは違う文体や語彙や文法を持つ新しいコミュニケーション言語。それで喋ったものを、AIが従来どおりの書き言葉に翻訳してくれる。

落合　知能の局在化が起こると、「クラスターA」のほうはその新しいコミュニケーション言語を使って会話するようになるかもしれないですね。でも「クラスターB」はAIの自動翻訳でしかそれを使えないから、日常言語としてはそれを喋れなくなるだろうな、たぶん。だから、クラスターAの人間とクラスターBの人間がフィジカルに出会うと困るんですよ。

暦本　なるほど。クラスターAとクラスターBが話すときは、AIがあいだに入らないとコミュニケーションが成立しないんだね。

落合　面倒なことになりますよ。まあ、すでにいまの時点でも、僕はXで似たようなことをよく経験していますけど。

暦本　140文字くらいでも、ちゃんと読める人間はじつはすごく少ないといいますよね。そもそも長い文章を文脈に沿って読み取るのは、人類の中でも限られた人しかできない。ただ140文字くらいだと、キーワード・パターン・マッチング[*16]で理解した気になっちゃう。でも誤解しているから、相手と同じような意見を持っているのに「そんなはずないだろ!」とネガティブなリプライを送ったりするんですよ。傍から見ていると、

＊16　キーワード・パターン・マッチング　リスティング広告（検索連動型広告）では、グーグルやヤフーなどの検索エンジンの結果ページに、ユーザーが検索したキーワードに関連した広告を掲載するために、部分一致、フレーズ一致、完全一致という3つのマッチタイプを使い分けている。

「2人とも同じことをいってるのに、なんでケンカしてるの？」と思うことがよくあるでしょ。要は早とちりなんだけれど、そういうコミュニケーションの断絶はありますね。

落合　インタープリター（通訳）がいないと、いくらでも起こりますよね。

暦本　だから、ケンカしているところにＡＩが入ってくれれば、炎上案件の多くは収まるんじゃないかな。ＡＩが「この2人は同じことをいっています。みなさん仲良くしましょう」なんてあいだを取り持ってくれると、人類の軋轢《あつれき》がちょっと減るかもしれない。

落合　そうなると、フィジカルには同居できなくても、コミュニティは共有できますね。インターネットを含めたコミュニティなら、あいだにＡＩを介在させることで一緒に暮らせる。同じ部屋にいたら、軋轢ばかりでけっこう大変だろうけど。フィジカルなコミュニケーションもそれで成立するレベルまでユーザーインターフェースの進歩が加速する未来像は、あと15年では僕は描けないな。

ただ、いったんデータになったものを改変して出力することはできるから、「オンラインでは君と会いたいけれど、フィジカルではあまり会いたくない」みたいな関係性はどんどん出てくるかもしれませんね。

未来のオフィスは散歩道

――音声入力を日常的に使っている人はまだそれほど多くないと思いますが、技術的にはかなり進んでいるんですね。

暦本　サイレントスピーチ[*17]ぐらいの感覚で、ほとんど声を出さずにブツブツ呟くとＡＩもブツブツ答えてくれるので、僕はずーっとひとりで内心を吐き出していますね。鴨川沿いをダラダラ散歩しながらブツブツいうのが、いちばんいい。

落合　僕もよく散歩しながらブツブツいっています。あれはいいですね。

暦本　未来のオフィスは散歩道。外から見たら、単に危ない人なんですけど（笑）。論文もそうやって書いています。そうやって喋っていると思いつくことってあるでしょ？

＊17　サイレントスピーチ　口や筋肉の動きなどをセンサーで読み取ることで、無発声の発言をコンピュータに入力する技術。暦本研究室（東京大学大学院情報学環 人間拡張研究室）では、ディープ・ニューラル・ネットワークを使用した超音波画像ベースのサイレントスピーチインタラクション「SottoVoce」などの開発に取り組んでいる。

落合　ありますね。

暦本　喋り始めたとたんに、それまで考えていなかったことを思いつく。それは頭の中で考えている純粋な思念みたいな言語とは違うんですよね。頭のまわりにフワフワと浮遊していたものが、口から言葉を発した瞬間につかまえられるというか。

落合　わかります。口から出たものが頭の中にフィードバックされるような感じ。

暦本　それをその場で話の流れの中にパッと追加できるので、フィードバックのサイクルはキーボードを打つよりもはるかに速い。

落合　音声のほうが速いですね。最近は展覧会の計画を立てるときも、チャットGPTのアプリに向かって喋りながら会場を歩いて回るんですよ。「最初の部屋の左には○○を置いて、その先は××にしようかな」とか何とかブツブツ喋る。帰ってきてヒュッとやると、だいたい展示計画ができているわけです。

ローカルでリアルタイムで動くようなユーザーインターフェースにするには、透明スクリーンをポンと置いたり、ゴーグルをかけたりすることになるだろうけど、それをみんながやるかとなると、たぶんやらないような気がするんですよね。

暦本　ゴーグルもずいぶん良くなってきましたけどね。メガネ型コンピュータの「XREAL」[*18]とか、メタ社（旧フェイスブック社）が社運をかけて開発した「メタクエスト」[*19]というヘッドセットとか。目の前にディスプレイが浮かんで、歩きながらテキストも読むことができる。見えている風景はカメラを通した映像なんだけれど、ディレイ（遅延）がほとんどないし、画角も肉眼で見るのと完全に一致しているから、かぶったままキャッチボールができるぐらいですよ。

僕はあんまりヘッドセットが好きじゃなかったけれど、最近のものはあまりにも使い勝手が良くなっているので、もうノートPCも机もなしで済ませられるかもしれない。ヘッドセットをかぶって歩けば、本当に鴨川の土手がオフィスになる。

落合　たしかに、ユーザーインターフェースとしてはゴーグルの発達に期待したいとこ

＊18　XREAL　AR（拡張現実）グラスで世界シェアトップの企業。デジタルコンテンツと物理的世界、さらには人間が一体化したかのように融合する方向に世界が発展していくというビジョンを掲げている。

＊19　メタクエスト　VR（バーチャルリアリティ）コンテンツを視聴するためにメタ社が開発したヘッドセット。プレーヤーは、360度のバーチャル空間でさまざまなことが体験できる。

ろではありません。２０３０年代の中盤、２０３５年ぐらいを考えると、もっと大きく進化していそう。４０００日ぐらい経つと、機械はとんでもない形に変化しますからね。４０００日前、つまりいまから十数年前というと、iPhone4が出たぐらいです。見た目はもうガラスっぽい感じになってきたタイミングだけれど、内部構造はまだいけ好かない感じだった。でもそれから十数年経って、いまのiPhoneは文明の結晶というぐらいの形に進化しているので。ゴーグルも十数年後にはもっと良くなっているでしょう。マイクの性能もずいぶん向上してきましたし。

ダイレクト・マニピュレーションの限界

暦本　音声に特化したヒアラブル[*20]やスピーチなどの技術は、ユーザーインターフェースの研究を大きく変えようとしていますよね。

落合　以前、ネット番組で対談していただいたとき、暦本先生はチャットＧＰＴとの出会いを「ＧＵＩ（グラフィカルユーザーインターフェース）を初めて見たとき以来の衝撃」とおっしゃっていました。

暦本　ＧＵＩ以前のコンピュータは、基本的に文字インターフェースでしたよね。テキストでコマンドを入力すると、その指示にしたがってコンピュータが動く。でもＧＵＩでは、コンピュータ画面上のアイコンやウインドウなどを実物のように操作することで、コンピュータを直観的に使えるようになったわけです。たとえばアイコンを動かしてゴミ箱に入れれば、そのファイルを消去できるとか。スピーカーの音量を調節するのも、昔は「volume up +5」などとコマンドを打たなければいけなかったけれど、ＧＵＩになると画面上のツマミを動かせばいい。

そうやって現実世界のメタファーをいじることで、コンピュータを操作する。それは

＊20　ヒアラブル／hearable　ウェアラブル・デバイス（身につけて使用するコンピュータ端末）の一種。イヤホンやヘッドフォン、補聴器など耳につける端末のことをヒアラブル・デバイスという。

＊21　ピンチイン、ピンチアウト　スマートフォンやタブレットなどの画面を2本指で縮小（ピンチイン）、拡大（ピンチアウト）する技術。２００７年６月に発売された初代 iPhone で初めて実用化されたが、暦本は２００１年に「スマートスキン」と名づけたその技術をいち早く開発していた。

ビックリしましたよね。

落合　暦本先生が発明したピンチイン、ピンチアウトも、まさにそういうダイレクト・マニピュレーション[*21]でした。ところが音声入力は言語で機械を動かすわけだから、ダイレクト・マニピュレーションではない。

暦本　そうそう。ベン・シュナイダーマン[*23]が1980年代にダイレクト・マニピュレーションの論文を発表して以来、ユーザーインターフェースの研究はずっとそれが主流だったんですよね。でも最近は、インダイレクト・マニピュレーションのほうが面白いんじゃないかと思っています。

　というのも、ダイレクト・マニピュレーションでは常に自分の手を動かすので、それ以外のことができないからです。ヒューマンインターフェースの教科書だと、画面を見る眼、認識する脳、操作する手が緊密なフィードバックループを形成していて、それがダイレクト・マニピュレーションの真髄みたいに説明されているわけです。しかしその緊密なループはスケールしない。でも、チャットGPTとの会話もそうですけど、音声はほかのことをしながらでも「これやっておいて」と投げられるでしょ。少し前までは音声認識の精度が悪かったから、たとえばアレクサ[*24]に何か指示するときも言葉をちゃんと選ばないといけなかったんですよね。音量を上げてもらうなら、「アレクサ、ボリューム・アップ」といえば通じるけど、「アップ・ボリューム」だと通じないとか。

落合　人間同士なら、どっちでも通じますよね。

暦本　そう、人間の自然言語[*25]コミュニケーションは、かなり融通が利くんですよ。文法的におかしくてもちゃんと通じる。すぐに文法エラーが生じてしまうようだと、文字の

＊22　ダイレクト・マニピュレーション　文字でコマンド（命令）を打ち込むのと違い、コンピュータの存在を意識せずに、対象そのものを操作していると感じることができるインターフェースのこと。「直接操作感」と訳されることもある。

＊23　ベン・シュナイダーマン（１９４７－）　米国のコンピュータ科学者。メリーランド大学ヒューマン・コンピュータ・インタラクション研究室の創設者。インターフェース・デザインの８原則を打ち出すなど、ユニバーサル・ユーザビリティーと呼ばれる概念の提唱者として知られている。

＊24　アレクサ／Alexa　アマゾン社が開発したバーチャル・アシスタントＡＩ技術。「アレクサ、明日の朝７時に起こして」「アレクサ、明日の天気を教えて」などと話しかけることで、機械を動かしたり情報を得たりすることができる。

＊25　自然言語　日本語、英語、フランス語、中国語など、人間が生まれながらに使う日常的な言語の総称。対義語は、プログラミング言語や論理式などの「人工言語」「形式言語」。

コマンドと変わりません。コマンドも、ルールどおりに打たないとコンピュータは理解しない。

だから音声認識の精度を上げる研究がずっと行われてきたんだけど、ユーザーインターフェースとしては「コンパイラをつくろう」[*26]というレベルだったんですよね。ところがAIは人間の曖昧な言葉遣いもきわめて高い精度で認識する。初めて「自然言語インターフェース」が登場したという感じですよね。

だから、もはやダイレクト・マニピュレーション研究はオワコンかもしれない。言わせていただくと、マウス、マルチタッチ、の2つでダイレクト・マニピュレーションの大きな物語は打ち止め。コンピュータのインターフェースをテーマとするUIST[*27]という国際学会は、いまでもダイレクト・マニピュレーション研究の牙城《がじょう》みたいな存在ですし、僕も去年その会議をリモートで聞いたりしていましたけど、やはり大きな物語は終わったんだなという印象を持ちました。もちろん実用的な需要はありますけど。

落合　今後もちょっとずつ良くはなっていくでしょうしね。

暦本　製品レベルではいくらでもやることはあるでしょう。真面目な技術の進化は続けないといけないと思います。でも、研究者としてラディカルに新しいことをやろうとした場合、ダイレクト・マニピュレーションはもうあんまり面白くないですよね。これからは、たとえば「夢を見ながら録音ができる」とか、そういう変な妄想を実現できるかもしれないし、途轍もない方向に進める可能性がある。だから、スイッチの形を改善しようとか、もっとわかりやすいアイコンにするとか、そういう進歩は製品レベルでやればいいんじゃないかなと。

AIは「長嶋語」を理解するか

落合　僕は、ダイレクト・マニピュレーションをしながら喋るというシチュエーション

＊26　コンパイラ／compiler　言語をほかの言語に変換して、そのプログラムをコンピュータ上で実行させるもの。

＊27　UIST　The ACM Symposium on User Itertface Software and Technology の略称。ヒューマン・コンピュータ・インタラクションのトップカンファレンスのひとつ。

をいつも考えるんですよ。

暦本　イタリア人は日常的にそんな感じですよね。両手を盛んに動かして「こんな感じのアレが」とかイメージを伝えながら、口でもベラベラ喋る。イタリア人はコミュニケーションの30パーセントはダイレクト・マニピュレーション（笑）。もちろんイタリア人に限らず、ジェスチャーで言語をサポートすることは誰にでもあるし、原始人のコミュニケーションはイタリア人よりもダイレクト・マニピュレーションが多かったんじゃないかな。

落合　たしかに人間はダイレクト・マニピュレーションをしながら喋るんですけど、プロフェッショナル・ツールは喋らないで使うことが多いですよね。たとえばかなづちやノコギリは黙って操作するかもしれない。寿司職人の包丁とかも。

暦本　道具を使っている本人はダイレクト・マニピュレーションだけど、その人に言語で指示する人間はいますよね。「何やってんだおまえ」とか「そこはそうじゃねぇ」とか、寿司屋の大将がツベコベいう（笑）。

落合　ああ、そうか。そういうとき、言語化するのが難しいコツってあるじゃないですか。身振り手振りでダイレクト・マニピュレーションするしかないようなノウハウ。それを言語化できるといいですよね。

暦本　昔、長嶋茂雄[*28]が若手選手に「ヒュイッと打つんだよ」みたいな表現でバッティングの指導をして、相手を困惑させていたのを思い出した（笑）。

落合　僕はオノマトペの研究が好きなんですよ。「ヒュイッ」とか「シュイッ」とか「ニュイッ」とか、言語規定としては面白い。「ヒュイッ」というオノマトペから画像を出して、その画像をまた言葉に直すと「ヒュイッ」に戻ったりする。つまり音象徴と形とかの象徴が抽象化されているので、それと生成AIの組み合わせが面白い。

暦本　チャットGPTがオノマトペをどこまで理解するか。「ここをヒョイッと直して」と「ヒュイッと直して」とで、結果が違ったりして。「語尾をモフモフさせてください」とかいいたい（笑）。

＊28　長嶋茂雄（1936－）「ミスタージャイアンツ」「ミスタープロ野球」とも呼ばれた名選手。読売ジャイアンツの中軸として活躍し、のちに二度にわたって監督を務めた（退任後は終身名誉監督に）。打撃指導の際に繰り出される「ダッ　パーンッ」「パアッ　ブワーッ」といった擬音は「長嶋語」と呼ばれた。

落合　ちょっとフワッとしているから、もっとカチッとした文章にしてください、ぐらいは理解してくれますよね。みんながよく使うオノマトペだから。

暦本　[*29]ハッピーハッキングキーボードの新製品が出たときに、ユーザーが前との触覚の違いをオノマトペで語っていたんだけれど、「前のはスコスコで、今回の新作はホコホコだよね」とかいうと、日頃からあれを使っている人にはめちゃめちゃよく伝わるんですよ。「ああ、たしかに前はスコスコでこれはホコホコだ」と。でも使ったことのない人が「スコスコ」「ホコホコ」という言葉を耳で聞いただけでは、ただのカタカナとしか認識できない。たぶん、オノマトペは音と触覚などのほかの感覚が統合された認知なんでしょうね。だから、ハッピーハッキングキーボードをいつも触っている人たちのあいだでは「ホコホコ」が共通言語になる。

落合　たしかに、あれは「ホコホコ」です（笑）。

暦本　実際にキーを叩いてもらえれば、どっちが「スコスコ」でどっちが「ホコホコ」かは、ほとんど百発百中でわかると思いますけどね。心理学の「ブーバ／キキ効果」みたいなもので。ギザギザに尖った感じの図形と、グニャグニャした丸っこい図形を見せて「どっちがブーバで、どっちがキキか」と聞くと、大多数の人が前者を「キキ」、後者を「ブーバ」と答える。これは音と視覚が統合されて、みんなの共通認識になるわけですね。

未来の人類は「口笛言語」で会話する？

落合　一方にはそういうオノマトペでしか触感を表現できない人類がいて、一方にはキーボードの触覚を物理現象として理解して、ハプティクス[*30]のグラフを描いたりする人類がいるわけですよね。この両者は共通言語を持たないけれど、あいだにAIが入ればコミュニケーションが取れる。「スコスコ」と「ホコホコ」のダイナミクスをフィッティ

＊29　ハッピーハッキングキーボード／Happy Hacking Keyboard　株式会社ＰＦＵが販売するコンピュータ用キーボード。静電容量無接点方式（静電気を利用してキーのオン／オフを検出する仕組み）なので、ふつうのキーボードよりも軽いタッチでタイピングができる。その分、価格は高め。「高級万年筆のようなキーボード」として、作家やプログラマーなどに愛用されている。

ングすると、それぞれグラフはこんなカーブを描きます、みたいな。

暦本　そうそう。ハプティクスの専門知識がなくても、「ホキホキにしてください」といえば、ＡＩが「了解しました」といってデザインしてくれるかもしれない。

落合　オノマトペを誤解すると、グラフのカーブがちょっとズレたりしそう（笑）。

暦本　感触が違ったら「もうちょっとホキッとできるかな」とお願いしたり。

落合　そのちっちゃい「ッ」があるかないかで、カーブの跳ね具合が変わるんですね。そういう意味では、ダンスとオノマトペの関係は面白い。ダンスはダイレクト・マニピュレーションなんだけれど、動きの指示には言語も使いますよね。たとえば「もっと手をホコッとして」と伝えたとき、動きがどう変わるか。僕は最近はそんな研究をしているんですけど。

暦本　まさに長嶋の打撃指導ですね。長嶋の頭の中には完全に動作と一致したオノマトペ空間があって、「このスイングはヒュイ」「このボールのとらえ方はヒョイ」などと決まっているわけですよ。そういう長嶋脳を解析してふつうの人の脳に入力できるようになると、万人向けの体系的なコーチング技術になるかもしれない。

落合　長嶋本人のプレー中に脳の記録を取っていたら、「ヒュイ」と「ヒョイ」の違いが生理学的にわかるかもしれない。

暦本　なるほど。ヒュイとヒョイの違いが、じつは脳に現れている。

落合　ダンス以外にも、ゴルフの「チャーシューメーン」[*31]とか、言語と運動の象徴のオーバーラップはいっぱいあると思うんです。たとえば砂浜を歩いて「サクサクした砂だな」と頭が認識したら、それを踏んでいる足の音は「サクサク」と聞こえるじゃないですか。「自分はサクサクとした砂浜を歩いている」という認識のオノマトペが反復されて耳に聞こえているような気がちょっとしているんです。

暦本　ああ、中途半端なシンボルがね。

落合　そうです、中途半端な半言語情報ぐらいのシンボル。

＊30　ハプティクス　デジタル空間で触覚体験を可能にする技術。手に装着するグローブ型、全身に装着するボディスーツ型のデバイスなどを通じて、デジタル空間での体験と連動した振動や圧力などをユーザーに感知させる。

＊31　チャーシューメーン　ちばてつやのゴルフ漫画『あした天気になあれ』（講談社）から生まれた言葉。打ち急ぎを防ぐために「チャー・シュー・メーン！」のリズムでクラブを振る。

暦本　音響ではないけれど言語でもないような状況。そもそも言語の起源については「歌起源説」とか「鳥起源説」とかいろいろありますよね。「ネアンデルタール人は歌うように喋った説」というのもある。だから歌が言語の基本で、それに情報が乗ってきたという考え方もあるわけです。そう考えると、「ホコホコ」とかが言語の起源かもしれない。

落合　イルカのコミュニケーション音声は、マイクで録《と》ると面白いカーブが出てくるんですよ。イントネーションがヒュウウウッと上がったり下がったりする。

暦本　鳥の鳴き声が、明らかに楽しんでいるように聞こえることがあるでしょ。妙に技巧を凝《こ》らした歌い方で、「この子は練習しているんじゃないか？」と思う。あれは絶対、生存に必要なこと以上の何かをやっているに違いない。

落合　人間でも、離島などに行くと「口笛言語」という言語体系があるんです。イルカの音声と口笛言語が似ているという研究は多いのですが、最近でも去年ぐらいに出ていました。それを見て「やっぱりそうだよね」と思いましたね。鳥言語も口笛言語も、歌うように音程差を使ってコミュニケーションするんです。

暦本　2030年代の後半ぐらいには、みんな「ヒョイ」とか「ヒュイ」とかいって、それをAIが翻訳しているかもしれない。

落合　ほぼ口笛言語ですね。

暦本　全員が長嶋みたいになっちゃう。

落合　明らかにあり得る。わりと洒落じゃなくて、そんな気がします。

人間の間違いを訂正してくれるチャットGPT

暦本　チャットGPTって、こっちがスペルミスとかの打ち間違いをしても、けっこうちゃんと対処してくれるじゃないですか。あれはすごいですよね。「それはこういうことですね」と訂正してくれる。すでにそのレベルまで来ているから、ちゃんと言語化せ

＊32　コーパス　自然言語の文章や用例を大規模に集積して整理したデータベース。言語学の研究に使われるが、AIが自然言語を扱う上でもコーパスの学習が不可欠。

ずに「フィッと直して」と頼んだだけでも「フィッてこういうことですよね」と解釈してくれるようになるのは時間の問題かもしれない。「オノマトペ・コーパス[*32]」があれば、そこから学習してくれるはず。

落合　たしかに、そうなるでしょうね。そこがアテンション・モデル[*33]の面白いところです。

暦本　同じ言葉遣いの間違いでも、「ここを間違えたら決定的に意味が通じなくなる」というところもあれば、語尾のようにどうでもいいところもあるので、メリハリがあるじゃないですか。理解を生むために重要なところと、そうじゃないところがある。それは、いわゆる音声認識のエラー率とは違いますね。

落合　アテンションがちゃんとハマっていれば、ちゃんと変換されちゃうんだろうと思います。チャットGPTは、打ち間違え言語と打ち間違えていない言語の翻訳処理にも強そうなので。

日本語から英語とか、英語からドイツ語とかへの翻訳はめちゃくちゃ得意なんですよ。打ち間違えやすい言語体系が埋まっていれば、その言語体系で打たれた言語設計のやつは、たぶんふつうの文章に変換できる。音声認識のエラーもたぶん処理できるでしょう。実際、内部処理でそうやっていそうなので。それはよくできていると思います。あれは本質的には翻訳機なので。

だから、ある言語の特徴が揃いそうな翻訳言語コーパスが存在できるかどうかを考えればいいんですよね。「いい間違え言語コーパス」はいっぱいありそうだし、身体言語コーパスもつくろうと思えばつくれそう。デザイン言語コーパスもけっこういっぱいあるでしょう。

暦本　人間にも、書き言葉のスペルがちょっといじられていても全然わからないという現象があるじゃない？

落合　英語では顕著ですが、日本語でも「おでめとう　ごいざます」と書いてあっても、「おめでとう　ございます」と読んじゃうやつですよね。頭とお尻だけ合っていれば、ほかは順番が違っても気がつかないし、意味が通じる。

＊33　アテンション・モデル　AIがある作業を行うにあたって、入力されたデータの中からその作業で重要な単語に注目して、精度を高める仕組み。

暦本　だいたいの雰囲気や文脈から言葉を認識しているんですよね。だからわれわれ人間は、たぶんひとつひとつの単語をすべて読んで理解してはいない。

落合　そうそう。だから、お年寄りとかがあんまりコンピュータを使えなかったのは、たぶんダイレクト・マニピュレーションの弊害かもしれない。ちょっとでも間違えるとおかしな動作になるから、怖くて触れない。自然言語でコミュニケーションできて、いくらか間違ってても勝手に修正して動いてくれるなら、誰でも使いやすいですよね。

第2章

テクノロジーがつくる「新しい自然」

死者をAIで蘇らせることの是非

――ユーザーインターフェースが自然言語になるなどして、AIが人間らしく振る舞うようになると、人間とコンピュータの境目が曖昧になっていくような気もします。生成AIで、本物の人間と区別のつかない画像や動画もつくられるようになりました。人間や社会のあり方が大きく変わっていく可能性もあるのでしょうか？

暦本　そういう面はあるでしょうね。たとえば最近ちょっと気になっているのは、死後ビジネスなんです。

落合　リアルでは亡くなった人が、デジタルでは生きているみたいな？

暦本　そうそう。亡くなった人のアバターをつくって、あらかじめ記録しておいた生前の言動を再現する。『マックス・ヘッドルーム』[*1]という昔のSF映画で、おじいさんのお墓に行くと死者が「ああ、元気か」などと声をかけるというディストピアが描かれていましたが、それがいま韓国で現実のものになっているんですね。亡くなった子どもをアバターで再現するサービスで、ものすごい賛否両論を巻き起こしています。

落合　早くに死んだ子に会いたいという親の気持ちは強烈ですからね。

暦本　でも愛する者の死は、どうやって別れるかが重要じゃないですか。お葬式という儀式も、そのためにあるようなものでしょう。日本の場合、お通夜をやって、告別式をやって、焼き場に入れて……と段階を踏んでちょっとずつ別れていきますよね。

落合　そうやって徐々に死を受け入れていく。

暦本　それなのに、お墓に入ってからAIで生成された本物そっくりの死者が登場したら、また死を受け入れられなくなるかもしれない。『マイノリティ・リポート』[*2]でトム・クルーズが子どものビデオをずーっと見ているシーンがありましたけど、あんな感じになるのが果たして良いのかどうか。長い時間をかけて人間が持つようになった死生

＊1　マックス・ヘッドルーム　英国の音楽番組に司会者として登場したCGキャラクター。1985年に映画化、1987年には米国ABCテレビでテレビドラマ化された。

＊2　『マイノリティ・リポート』　2002年に公開された米国のSF映画（スティーヴン・スピルバーグ監督、トム・クルーズ主演）。原作はフィリップ・K・ディックの短編小説で、殺人を事前に予知するシステムが実現した近未来を描いている。

観を機械が一瞬にしてひっくり返すのはいかがなものか、と思うわけです。

落合　すでにテレビでも亡くなった有名人をＡＩで再現していますよね。

暦本　そうそう。ＮＨＫがＡＩで再現した美空ひばりの歌を放送したときも、賛否両論になりました。そこには、いわゆる「不気味の谷現象」[*3]という問題もありますけどね。われわれは人間に似たロボットに好感を持つけれど、ロボットが人間に近づきすぎると逆に不気味さを感じるようになる。

落合　その「不気味の谷」を通り越して完全に人間と区別がつかなくなると、再び好感を持つようになるという話ですね。

暦本　でもその問題とは別に、そもそも死者をデジタル技術で生き返らせることをわれわれが受け止められるかという問題があると思うんですよ。

　自分とは全然関係のないベートーヴェンやブッダみたいな歴史上の人物を再現するのは面白そうだけれど、肉親や友人を再現できちゃうのは、ちょっと危険な武器ではありますよね。ずーっと一緒にいたくなるかもしれない。イヌやネコなどのペットもそう。死者とは別れさせる習慣を社会がつくってきたのに、テクノロジーがそれをさせてくれなくなっちゃうかもしれない。スティーヴン・キングの『ペット・セマタリー』[*4]では、死んだ子を墓から蘇らせる魔術みたいなものがあるんだけれど、蘇ったのはその子の形をしたゾンビ。それと似たような問題が起こる気もします。

「戒名」は人間の情報を圧縮した究極のベクトル

落合　死者といえば、僕のラボで「戒名《かいみょう》」について調べているんですよ。学生たちに「どうしてみんな戒名を調べないの？」といったら、最初は「なぜ調べるのか全然わか

＊3　不気味の谷現象　ロボット工学者の森政弘が1970年に提唱。外見や動作が「人間にきわめて近いロボット」と「人間とまったく同じロボット」では、人間の感情的な反応に差が生じると予想し、その差をグラフ化したときに現れる強い嫌悪感を「不気味の谷」と呼ぶ。

＊4　『ペット・セマタリー』　スティーヴン・キングが1983年に発表した長編小説。現在、邦訳は文春文庫で読むことができる。1989年には米国で映画化された（邦題『ペット・セメタリー』）。呪いの力を借りてまでも死んだ家族を生き返らせようとしてしまう人間の性（さが）を描いている。

らない」といっていましたけど、最近になって「やっとわかってきました」といってくれますね。

暦本　戒名？　自分につけるの？　戒名のつけ方の調査？

落合　いや、戒名って、その人の情報を圧縮したベクトルなんですよ。戒名のあの文字列だけ入力すれば、その人になる。暦本先生なら「人間拡張工学居士」とかつければ人となりがわかるじゃないですか。

暦本　ああ、そういうことか（笑）。たしかにうちの親父の戒名をつけてもらったときに感心したけれど、あれは腕のいいコピーライターみたいな仕事ですね。「父は本が好きで」とか人となりをいろいろ教えたら、1日でかっこいい戒名を考えてくれました。

落合　そうそう。あれは情報圧縮の極みなんですよ。

暦本　たしかに、その人の人格を少ない文字数に押し込める戒名は、人間の潜在空間ベクトルかもしれない。

――潜在空間ベクトルとは、どういう意味ですか？

暦本　コンピュータは、テキストであれ、画像であれ、与えられた情報をひとつのベクトルで表現するんです。つまり複数の数字を並べる形に圧縮して計算するんですね。そのベクトルを置いてある場所が潜在空間だと思ってもらえばいいでしょう。

たとえばイヌがボールを追いかけている画像も、コンピュータの潜在空間の中では1000個ぐらいの数字を並べたもの、つまり1000次元ぐらいのベクトルに圧縮されています。

落合 そうやって情報を圧縮してベクトル化する。戒名の文字数は宗派や料金によって違いますけど、12文字ぐらい並べられれば、ベクトルがその人にふさわしい位置に定まるだろうと思っているんです。質問への回答からキャラクターを特定するアキネーター[*5]を使うといいかもしれない。アキネーターで10回ぐらい質問に答えると、その人がベクトライゼーションされる。

暦本 生前戒名をつくれば、マイナンバーの代わりになるかもしれない（笑）。

落合 いままではDNAを保存しないと本人確認できないと思っていたけれど、潜在空

＊5　アキネーター／Akinator　質問に対する5段階の回答例から、絞り込み検索によってその人物やキャラクターを推測、特定するプログラムエンジン。データベースを応用したAIの一種。

間ベクトルとしての戒名をいつでも取り出せるなら、それでイケるかも。

暦本　12文字ぐらいだと、俳句に近いですよね。それぐらいの分量のベクトル。

落合　17乗オーダーぐらいまでは簡単に扱えますから。

暦本　もしかするとAIの潜在空間の次元にけっこう近いのかな。自然言語処理のトランスフォーマー[*6]の中は超多次元ベクトルなんですが、1000次元ぐらいだからそんなにデカいわけじゃないですよね。もちろん3次元までしか認識できない人間にとっては途方もなくデカい空間だけれど、戒名で規定できる程度の潜在空間かもしれないので、もしかするとトランスフォーマーの中間状態をすべて戒名として翻訳できる。

落合　すると、人類は戒名だけ入れればだいたい戻ってくるかもしれない。

空海とソシュールを微分すると……

暦本　もともと仏教は「[*7]色《しき》即《そく》是《ぜ》空《くう》」とか短い文字数に情報を圧縮しますよね。

落合　戒名を調べていたら空海の『声字実相義《しょうじじっそうぎ》』という本と出会ったんですけど、それを読むと、空海はソシュール言語学[*8]より全然早い段階で「シニフィアン」と「シニフィエ」を分離して考えているんですね。1000年早いのはすごい。そういう人が最終的にやったのは、圧縮なんですよ。情報を1文字ずつに圧縮して曼荼羅《まんだら》をつくる。

暦本　言葉を圧縮すると、悟った感じがします。やたら長い説法を聞かされた後に、「要するに空即是色ですね」とか端的にいわれると、「ほほう」と感心するじゃないですか。そういう超圧縮が仏教の本質かもしれない。その意味では、科学にも似たような面

＊6　トランスフォーマー／transformer　もともとは機械翻訳のために考案された深層学習モデルだが、翻訳にとどまらない多方面の応用が可能なことがわかってきた。チャットGPTなどの生成AIのモデルにもなっている（チャットGPTの〝T〟は Transformer の頭文字）。

＊7　色即是空　般若心経にある仏教の基本的な教義。物質的な存在は空（くう）であり、執着される何ものもないということ。これと対を成す「空即是色」は、あらゆる事物は実体がなく空であるが、その空がそのまま一切の事物なのである、ということ。

＊8　ソシュール言語学　スイスの言語学者フェルディナン・ド・ソシュール（1857－1913）が創始した言語学の体系。歴史主義的言語学に対して、一般言語学の方法を提唱した。言葉を「物の名前」ととらえる伝統的な言語観を批判したソシュールは、記号としての言語は物理的な言語音声がある種の意味内容を表し、心理的である意味内容は音声表現によって表されると考えた。音声表現の面を「シニフィアン」、心理的な意味内容を「シニフィエ」と呼ぶ。

はあるかな。相対性理論や量子論も、背景には膨大な理論の蓄積があるけれど、「等価原理」とか「不確定性原理」といったキーワードから、新しい概念の濃厚な意味が見出せたりする。

落合　空海には「後夜仏法僧鳥《ごやぶっぽうそうちょう》を聞く」という漢詩があるんですよ。朝ひとりで瞑想していたら鳥が鳴くのが聞こえた。「ブッポウソウ（仏法僧）」と聞こえる。どうやら鳥の声も人の心も流れる雲も水も、すべては仏の現れなのである——といっているんですけど。じつはこれ、ブッポウソウという鳥の鳴き声じゃないらしいんですね。１９３０年代にラジオで誰かが空海の話をしたら、「その鳴き声はコノハズクだ」と指摘があった。いまでは、空海が聞いたのはブッポウソウではなくコノハズクの鳴き声だというのが定説になっていたというのを聞いたことがあります。

それで、試しに「ブッポウソウ」と聞こえる鳴き声をエンベディング[*9]にして次にそのベクトルをイメージバインドに入れると、ちゃんとコノハズクの画像が出てくるんですよね。

暦本　空海の勘違いが明らかになったということ？

落合　勘違いがひらめきを生んだともいえますね。それに人類が気づくのに1000年かかっているわけです。みんなブッポウソウを見ながら、「君はいつ仏法僧と鳴くんだ？」と思っていたんだけれど、ジージーとしか鳴かない。

これは集団知能と個人知能と潜在空間の問題を同時にはらんでいるなと思いました。情報をＡＩに処理させるためにベクトル化するエンベディングという技術を共有すると、人文科学と計算機科学が融合するかもしれない。そこから先に、けっこう面白いことが起きるんじゃないかな。人文科学の人たちがどの潜在空間でお喋りしているのかを「それって微分するとどういうことですか？　あなたたちの見解の違いを距離にしてください」とか聞くんですよ。

暦本　たしかに距離は多次元で定義できるので、それぞれの見解をベクトル化すれば「あなたの意見と私の意見の距離空間は０・３です」みたいなことはいえるかもしれな

＊9　エンベディング／Embedding　テキスト、画像、音声などの複雑なデータを、AIが処理しやすい数値ベクトル表現に変換する技術。数値ベクトル表現のことを「埋め込み表現（Embeddings）」と呼ぶ。たとえば単語のエンベディングでは、意味的に関連する単語同士を、座標空間に点を打つように、空間的に近い数値ベクトルへ変換して数学的にマッピングする。

い。

落合　話を進めてみたら、「いま0・2離れました」とか（笑）。

――情報を微分すると、そういうことがわかるんですか？

暦本　潜在空間に置かれたベクトルは入力と出力の関数なんですが、それが微分可能だと、入力の数値をちょっと動かすと結果もちょっと変わるわけです。そういう連続性があれば、何か認識の間違いがあったときに、入力をちょっと直せば出力も修正されますよね。そういう修正を繰り返すことで、ＡＩが学習して精度が高まっていく。入力と出力が微分可能な関係にあれば、それがどんなに超多次元の複雑な関数であっても、学習できるんです。

ただ、人文科学の知見が微分可能かどうかはよくわからない。「我思うゆえに我あり。以上」といわれたら、それがちょっとずつ連続的に変化することはないですよね。でも脳の中は物理世界と同じように入力と出力の関数で連続的に動いている。そういう意味では、人文科学も微分可能かもしれない。

そうすると、ある意見と別の意見の違いが計算できますよね。潜在空間での距離が近いとか遠いとか。たとえばマルクスとハイデガーの議論を潜在空間に落として微分すると、「マルクス寄りのハイデガー」みたいなものを計算で導出できるかもしれない。さっきの落合君の話だと、シニフィアン、シニフィエを分離した空海とソシュールはけっこう近かったりするわけですね。

落合 けっこう近いはずです。1000年という時間差はあるけど、距離空間は近い。時間差にはあんまり意味がなくて、早かったから空海のほうが偉いというわけでもないでしょうね。科学は先取性を評価する傾向が強いので、距離を時間に置き換えたときの時間の近いほうを表彰する性質がありますが、アートの世界では最近、違うルートで同じものにたどり着いたことの価値を認めようという話になっています。オルタナティブなものはあるんだから、別に最短でそこに来なくてもいいよね、と。ヨーイドンで一斉にスタートしたわけじゃないのに、時間差を取ってもあんまり意味がない。

暦本 なるほど。ベクトル化して距離空間を取ることで価値を判断するというのは、面白いですね。

微分仏とオブジェクト指向菩薩

落合　そういうことが、いろんな場面で起こるような気がするんですよ。エンベディングでベクトル化したアート作品をさらに微分したらどうなるかとか、そんなことばかり考えますね。そうしたら、[*10]円空《えんくう》のつくった仏像が「微分仏」にしか見えなくなってきて。

暦本　微分仏？

落合　円空は生涯に仏像を12万体も彫ったらしいんですよ。たぶん1日25体ぐらい彫らないと、生涯で12万体は彫れない。

暦本　「一汁三菜」を1日3食すると12だから、毎日2人分の食事を用意するぐらいのペースで仏像を彫っていたことになりますね（笑）。

落合　たぶん「うちの母ちゃんが病気だから何か頼む」とかいわれるたびに、「そうかい、じゃあ、こんな感じでどうだ」みたいに彫っていたんだと思っています。だから最短経路で彫れるようなものばかりなんですが、どれもすごく面白い形状をしているんですよね。

暦本　ああ、ちょっとずつ違うみたいな？　連続的にデフォルメされていくと、最後はただの球体になるかもしれないね。

落合　必ずしも連続性があるわけではないんですけど、最後はよくわからないすごい形になっていますね。それが複雑な表面形状の仏像を微分しているように見えてきたので、円空に影響されて自分でもつくり始めたんです。Xで「祈りたい人はリプライくれれば僕が仏像をつくります」といったら、祈りたくなった人がけっこういて、みんなに仏像の画像をプレゼントしていたんですよ。さらに最近は「オブジェクト指向菩薩」をつくりました。

暦本　オブジェクト指向菩薩……？

落合　空海の真言宗における世界認識はオブジェクト指向性[*11]が高いと思います。あるオブジェクトのための仏像を曼荼羅に配置していくんです。その階層のトップにいるスー

＊10　円空（1632-1695）江戸時代前期の修験僧。生涯におよそ12万体の木彫りの仏像をつくったとされ、これまで日本各地から約5300体が発見されている。

パークラスが大日如来《だいにちにょらい》。

暦本　曼荼羅にはそういうクラス階層[*12]があるんだ。

落合　あれってクラス階層なんですよ。この世のすべてが大日如来につながっていて、それを分けたものが下の階層に置かれたりする。だけど、じゃあそのクラス設計や抽象化は誰がやっているんですかという問いに、曼荼羅は答えられていないと考えたんです。森羅万象《しんらばんしょう》のシステムをオブジェクト指向で変換する仏がいない。だったらオブジェクト指向菩薩を足す必要があるでしょうと思って、京都の醍醐寺《だいごじ》の方に「すみません、オブジェクト指向菩薩について真面目に考えたんですけど、これでどうでしょうか」と熱心に説明したら、開眼法要をやってくださいました。

暦本　うーん。わかるような、わからないような（笑）。

関数型言語かオブジェクト指向か

落合　いや、関数型言語[*13]は関数型言語でいいんですけど、人類ってオブジェクトとしてしか物を認識しないことがほとんどだなと思って。

暦本　射影[*14]で把握するからかな。ある空間を、別の空間にプロジェクトする。

落合　そうです、トランスフォームが得意。

暦本　言語を絵にトランスフォームするとか？　でも、そうやって違う形態に変えるのは関数っぽいですよね。まあ、両方あるのかもしれない。関数っぽい世界と、1個1個インスタンス（実体）を感じる世界と。

＊11　オブジェクト指向　「オブジェクト」は「物」「対象」を意味するが、プログラミングの分野ではデータと処理の集まりのことを指す。ある役割を持つオブジェクトごとにクラスを分割し、オブジェクト同士の関係性を定義してシステムをつくり上げる考え方のこと。

＊12　クラス階層　オブジェクト指向プログラミングでは、すべてのオブジェクトを「クラス」という単位で扱う。クラスには上位下位の関係があり、ひとつのアプリケーションでは、すべての上位下位の関係がひとつのクラス階層を構成する。階層が下位のクラスほど多くの機能がある。

＊13　関数型言語　データに対する操作をすべて関数として記述する方式のプログラミング言語。数学的な式を基本的な要素とする。

＊14　射影　ある次元の空間の点を、別のより低い次元の空間の点に対応させる変換。たとえば物体の「影」は、3次元物体を2次元平面に射影した結果といえる。

落合　オブジェクト自体が言語で書かれているから、その相互利用性が高まると、数理的に定義されたオブジェクトと言語の変換が可能な状態になる。だからオブジェクト指向は理解できるんだけれど、どうやってオブジェクト指向を言語モデルが使うかというのがネックだと思っているんです。ダイレクト・マニピュレーションや人間の対象認識もそうだから。人間というオブジェクトのサブクラスに内臓とかがありそうというか。

暦本　……みなさん、わかってます？

――いえ、わかりません……。

暦本　僕もよくわかっていないけれど（笑）。一応、簡単に背景を説明しておくと、プログラミング言語にはいろいろなタイプがあって、オブジェクト指向も関数型言語もその中のひとつ。オブジェクト指向は、ある役割を持つ対象（オブジェクト）ごとにクラスを分割して、それぞれの関係性を決めることでシステムを構築する考え方です。ユーザーインターフェースなんかを設計するのに向いていますね。

一方、関数型言語は、たとえば「2」を入力すると「ルート2」が出力されるように、情報を入れると答えとして関数をいろいろと書いて、それぞれの関数を組み合わせるとプログラムができる。課題を数学的に記述できるので、研究目的の利用に向いているというのが一般的な理解ですね。

それらとは別に、昔は論理型言語というプログラミングの世界もありました。日本の「第5世代コンピュータ」という30年ほど前の国家的なAIプロジェクトはその論理型言語でやろうとして大失敗したんです。論理型は、たとえば「A=B、B=C、ならばA=C」みたいな論理を書く場合、それぞれ2つの項目しか関係していないので、計算の順序がない。計算の順序がないということは、コンピュータがものすごく並列しているということでもあるので、僕も30年前はすごいと思ったんですよ。実際、簡単な論理演算は解けたので、「知能」が感じられました。でも、論理型プログラミングは人間には難しすぎたんですよね。

落合　人間の脳内の世界認識と差異がありますからね。

暦本　そう、人間のナチュラルな感覚と合わないので、あまり流行らなかった。人間にとってわかりやすくしようとすると、結局はオブジェクト指向になっちゃうんですね。

落合　だいたいのものを人間はオブジェクトとしてしか認識できない。もちろん関数は関数で、関数オブジェクトとして認識していそうだなと個人的には思っているんですよね。関数は関数オブジェクトとして認識して、[*15]フーリエ変換はフーリエ変換というオブジェクトとして僕の中には入っている。

「Are you functioning?」

暦本　数学者って、基本的に関数じゃない？　何かを何かに変換する関数を定義しようとする。でもオブジェクトは入力するXやYはどっちかというと部品なので、そこからは来ない感じ。プログラミングは両方かな。

落合　両方とも使いますね。僕は自分が関数になっているときがいちばん気持ちいいので、そこではオブジェクトじゃなくなっている気がしますよね？

暦本　いや、まるで人類共通の常識を再確認しているみたいに「ね？」って同意を求められても困るけど（笑）。

落合　アメリカでドラッグをキメてぶっとんでる人に、隣にいた人が「Are you functioning?」って聞いていたということがあって（笑）。これはいいな、と思ったことがありました。「おまえは機能しているか？」という問いは、「おまえは関数になっているか？」という問いでもある。

暦本　その場合のファンクションは「関数」でもあり、「機能」でもありますからね。

落合　人間は関数になっているときに機能しているんですよ（笑）。

暦本　でも「アイ・アム・オブジェクト」とはいわない。そういわれたら「おまえは地蔵か何かか」と聞きたくなるかも。

落合　1＋1を永遠に書いているようなときがいちばん楽しいじゃないですか。

暦本　いやいや、それも人類の共通認識ではないと思いますよ（笑）。

落合　じゃあ、音楽につられて体が動くのはどうです？　これは楽しいじゃないですか。いちばんシンプルなファンクション。ドゥンドゥン音が鳴っているダンスクラブで踊っ

＊15　フーリエ変換　おもに、与えられた関数を別の周期関数に分解して表現する際に用いられる変換。ある信号に含まれる周波数成分の解析など、通信・画像処理といったさまざまな分野で広く利用される。

ているときの人間は、ただの関数ともいえる。耳で聞いた波動を体の動きにトランスフォームしている。

暦本　完全にリアクティブ（反応的）であることの快感はありますよね。

落合　そう。スーパー受動性。

暦本　そもそも人間に自由意志はないという説がありますからね。自分の意思で行動しているように思えるけど、じつは基本的に環境との相互作用で動いているだけ。

落合　それを裏づけた有名な実験がありますよね。

暦本　そう、ベンジャミン・リベット[*16]の実験。筋肉と脳の活動を測定する機械に接続された被験者が「手首を曲げよう」と意識した瞬間にその動きをするんだけれど、被験者自身が意識する前に脳が「手首を曲げろ」という指令を出していることがわかった。自由意志が決定を下す前に、脳が行動を決めているんですね。

　だとすれば、われわれが自由意志で行動していると思っているのは、後付けの理屈にすぎない。もちろんこれも諸説ある話ではあるけれど、自由意志がないとすると、人間の行動も感情も受動的なリアクションにすぎない。

落合　うちのラボに耳の聞こえない学生や目の見えない学生もいるんですけど、耳の聞こえない子にダンスクラブの動画を見せると、何が起きているのかを理解するのにけっこう時間がかかるそうです。耳から入る振動につられて全員が同じ動作をすると気持ちいい、という動作体験があまりないから。もちろん体を一緒に動かすと楽しいという一体感は味わえるけど、やっぱり違うといっていましたね。人工内耳を入れて振動が感じ取れれば、関数としてファンクションできるんだけど。

そう考えると、ファンクションってすごく音楽的だと思うんです。だからAIのツールがどんどん音楽っぽく、あるいは楽器っぽくなっている。コンピュータって、最初は建築家っぽかったですしね。

暦本　逆にいうと、楽器って究極のダイレクト・マニピュレーションなので、その先に

＊16　ベンジャミン・リベット（1916－2007）米国の生理学者。1983年の脳科学的な実験で、人間がとある動作をしようと意識的な意思決定をする前に、「準備電位」と呼ばれる無意識的な電気信号が立ち上がることを確認した。平均的に、動作を始める約0・2秒前には「こうしよう」という意識的な決定を表すシグナルが現れる。しかし脳内では、それより約0・35秒前に無意識的な「準備電位」が現れて動作を促しているという。これをもって人間に「自由意志」がないと解釈できるかどうかについては、いまも活発な議論が続いている。

はもうひとつ新たな展開があるかもしれない。

3Dプリンターとしての空也上人

落合　僕は最近、沖縄の三線《さんしん》が好きなんです。あれは三線を弾くだけではダメで、弾きながら歌えないと一人前じゃないそうです。三線を弾くだけという人はいない。つまり楽器でダイレクト・マニピュレーションしながら何かを発し続けるための装置なんです。そこが面白い。あと、*17空也上人《くうやしょうにん》って知っていますか？　口から仏を吐き出している立像で有名な人。

暦本　ああ、あれね。口からオブジェクトを出している像。オブジェクトのシークエンス。

落合　そうなんです。

暦本　どうしてそんなビジュアライゼーションをしたんですかね。漫画の効果線みたいなものかな。見えないものをビジュアルで表現する映像技法。

落合　外国人の研究仲間には「こいつはデジタルファブリケーションの化身なんだ」と説明しています。手で銅鑼《どら》を叩きながら、実体化した「南・無・阿・弥・陀・仏」を吐き出している。ジャパニーズは昔からエンベディングの変換をやってきたんだ、と。

暦本　わかりやすいですね（笑）。

落合　しかも口の中にある3Dプリンターで立体化しているんだぜ、というと、「嘘だろ？」とかいわれますが。

暦本　しかし実際のところ、これを彫った仏師は何を考えていたの？

落合　あれは意味がわからない。あれは本当に変な仏像だといわれますよね。そもそも、この時代の仏像とあまり似ていない。それなのに、立ち姿で右手にバチ、左手に杖を持って、口からは何か吐いているんだから、相当に異常です。

＊17　空也上人（903-972）平安時代中期の僧。ひたすら「南無阿弥陀仏」と口で唱える口称念仏を日本で初めて実践したとされる。鎌倉時代に康勝（運慶の息子）によってつくられた「空也上人立像」（京都・六波羅蜜寺蔵）は重要文化財。口から出た1本の銅線に、「南無阿弥陀仏」を表す6体の仏像が並んでいる。

暦本　説法しているの？

落合　あれは歩き念仏ですね。ダンス系の歩き念仏だと思います（笑）。

暦本　そういえば、さっき名前の出た空海はものすごく声が良かったという伝説がありますよね。何をいっているかは全然わからないけど、その声を聞くだけで感じ入ってしまうという。あるいはゲッベルス[*18]とジョン・レノンの声が同じだという説もあるそうです。

聞くだけで、意味はなくても快感を覚えてしまう声。ダンス系の空也にしてもそうだけど、パフォーマーとして優れていないと、大衆に話なんか聞いてもらえなかったでしょうね。

機能する妖怪と機能しない妖怪

落合　あと、「弘法《こうぼう》筆を選ばず」というとおり、空海は字がうまい。実際に見ると、ほんとうまいですよ。和紙の保存性が高すぎて、1000年前に書かれたはずなのに昨日書いたみたいなルックスの書が京都にはいっぱいあります。そういうことも含めて、空海の真言宗は身体性から発せられる言葉と筋肉が修行の中に込められているので、すごくわかりやすいと思いますね。

最近、百鬼夜行《ひゃっきやぎょう》絵巻をずっと調べているんですよ。歌川芳幾《うたがわよしいく》[*19]が1890年に描いた百鬼夜行では銅鑼が空を飛んでいるんですけど、1600年頃は空を飛んでいるのは鳥だけ。最初の百鬼夜行には鳥も描かれていない。そうなると、銅鑼がいつ百鬼夜行に入ったかが知りたくなるじゃないですか。

暦本　まあ、知りたくならない人類のほうが多いとは思うけど（笑）。

＊18　パウル・ヨーゼフ・ゲッベルス（1897－1945）　ナチス・ドイツ政権の宣伝大臣として知られる政治家。ナチスのプロパガンダを積極的に行い、党勢拡大に貢献した。1943年2月にベルリン・スポーツ宮殿でゲッベルスが行った「総力戦演説」は、ナチス幹部が初めて、第二次世界大戦でドイツが深刻な状況に直面していることを語ったものとして知られている。「ゲッペルス」との誤記がよくあるが、綴りは「Goebbels」である。

＊19　歌川芳幾（1833－1904）　本名は落合芳幾。幕末から明治にかけて活躍した浮世絵師。歌川国芳門下。1872年（明治5年）創立の「東京日日新聞」の幹部となって新聞錦絵を描き、さらに「東京絵入新聞」や雑誌『歌舞伎新報』などの事業を行った。

落合　だっておかしいじゃないですか、銅鑼が空を飛ぶって。だから、鳥が飛んでいる1600年の絵と銅鑼が飛んでいる1890年の絵をベクトルに変換して、その距離空間を調べてみたいんですよね。両者の時間は290年隔たっているわけで、その間に絵師が昔の絵を真似しているうちに鳥が銅鑼になったとしたら、潜在空間での距離はどれぐらいだろう……みたいなことを最近よく考えるんです。

暦本　そういえば、民俗学者の香川雅信さんによると、江戸時代初期の社会では、妖怪はみんな本物だったそうですね。想像の産物ではなく、リアルな存在だった。たとえば河童《かっぱ》も、みんな本当にいると思って怖がっていた。それが江戸時代中期からフィクションになったんですね。そこから一気に妖怪のバリエーションが増えた。リアルな存在だったらそんなに種類は多くならないけど、いろんなものを抽象化してフィクションの妖怪をつくっていいとなったら、「こんな妖怪もいていいだろう」ということになったわけですね。

　だから空飛ぶ銅鑼も、「写実じゃなくてかまわない」という認識が広がったときに生まれたバリエーションのひとつなのかもね。アートには、写実から離陸する瞬間があるじゃないですか。

落合　たしかに、妖怪には、実際に機能する妖怪と機能しない妖怪の2系統があるという見方もできますよね。たとえば夜に山に入ると危険なので、それを防ぐために「怖い妖怪がいる」という設定にするのは、コミュニティにとって重要な機能がある。

暦本　それが本物の「機能する妖怪」ですね。

寺田寅彦の化け物論

落合　実際にはいないけど、信じることによってファンクションする化け物がいる一方、実際に存在する雷を擬人化した雷神みたいなものもありますよね。妖怪として定義しようがしまいが、それに打たれたら危ないことはみんな知っているわけです。これについては、寺田寅彦が「化物の進化」というエッセイで書いているんですよ。

ちょっと引用してみましょう。

〈人間文化の進歩の道程において発明され創作された色々の作品の中でも「化物《ばけもの》」などは最も優れた傑作と云わなければなるまい。化物もやはり人間と自然の接触から生れた正嫡子であって、その出入りする世界は一面には宗教の世界であり、また一面には科学の世界である。同時にまた芸術の世界でもある。〉

(『怪異考/化物の進化』、中公文庫)

みんなが信じると機能してしまう点では、宗教も科学も芸術も妖怪も同じということですよね。そういう意味では、いまの時代、妖怪はずいぶん多いんじゃないでしょうか。疑似科学やデマ情報、あるいはカルト宗教でも、信じている人たちのあいだでは何らかの機能を果たしてしまうわけだから。

暦本　江戸時代中期にフィクションとしての妖怪ブームが起きたわけだけど、いまだに妖怪ブームは続いているのかもしれない。

落合　やっぱり寅ちゃん(寺田寅彦)はさすがですね。「そのうち立体映画もきっとできるよ」みたいなことも書いていたし。物理学者として、時代を読むセンスが素晴らしい。

寅ちゃんの研究は、ある意味で『ファーブル昆虫記』っぽいんです。そういう研究はなかなかできないけれど、けっこう重要ですよね。ちなみにうちのネコ、寺田寅彦から取って「トラ彦」って名前がついています。まず息子が「トラ」といい、それが「トラ彦」になった。

暦本　そういえば、ダーウィンはミミズ研究の大家ですね。有名なのは圧倒的に『種の起源』だけれど、じつはその研究を上回るパワーでミミズの研究をライフワークにしていた。ミミズは1日にどれくらい土を掘り起こすかを30年ぐらい延々と記録していたそうです。ファーブルもそうだけど、目の前で起きている当たり前の現象を何十年もかけて研究する自然科学者は面白いですね。

落合　あの「4分33秒」の作曲者として有名なジョン・ケージ[*20]も、キノコの研究者なんです。生前の録音を聞くと、ずっとキノコの話しかしていない。「なんでケージさんは音楽家なのにキノコの研究をされているんですか?」と聞かれて、「ミュージックとマッシュルームは辞書で隣同士ですよ」って答えていたのがおかしかった（笑）。

暦本　ジョン・ケージの潜在空間では距離が近いんだね（笑）。キノコと音楽って、まったく関係がわからないけど。キノコは鳴らないし。

落合　だから無音の「4分33秒」はキノコの音楽なんじゃないですか？

人工改変された自然を愛でる日本人の美意識

――先ほど引用された寺田寅彦の文章に「人間と自然の接触から生れた正嫡子」というフレーズがありました。人間とコンピュータの境目が曖昧になると同時に、自然とコンピュータとの関係性も変わっていくのでしょうか。

落合　自然については、民藝運動の主唱者である柳宗悦《やなぎむねよし》*21が昔こんなことを語っているんですよ。

〈ここに美しい写真があるとしよう。諸君よ、諸君はその写真以上に美しく自然を見る事は殆ど不可能なのである。美しい写真は、与えられた自然よりずっと美しい。そこ迄達しない写真はまだ充分に美しくはない。私達は美しい写真を通して自然を美しく見る事を教わるのである。〉

（「美しい写真とは何か」『柳宗悦全集』第二十二巻所収、筑摩書房）

※原文を現代仮名遣いに改めた。

この「美しい写真は、与えられた自然よりずっと美しい」という言葉が僕は好きなんです。写真が「美しい自然」を生むための道具だとすれば、チャットGPTもそれに近

＊20　ジョン・ケージ（1912－1992）米国の作曲家。仕掛けのあるピアノ、騒音、東洋思想などを取り入れた音楽は、現代の音楽界に多大な影響を与えた。1952年に作曲された代表作「4分33秒」は、3楽章からなるが楽譜は休止の指示のみで、演奏家は楽器の前に座ったまま音を出さない。禅の影響も指摘されている。

＊21　柳宗悦（1889－1961）美術評論家、宗教哲学者。大正末期より民藝美論を立て、調査や収集のために日本全国と海外各地を旅した。雑誌『工藝』『民藝』を創刊し、東京駒場に日本民藝館を創設するなど、民藝運動の普及に努めた。それまで注目されることのなかった民衆の工芸の美を解明した功績は大きい。著作に『雑器の美』『日本の民藝』など。

いかもしれない。新しい道具を通して「美しい自然」が見えたりするので。

暦本　自然はどんなに美しくてもアートではないからね。自然は自然であって、その美しさが解釈されないとアートにはならない。

落合　そうですね。いったん人間という変換器があいだに入ることで自然がアートになる。ただ日本人は、限りなく自然に近いけど自然じゃないものをアートにしようと頑張ってきたんですけどね。たとえば「庭」とか。庭は、自然をいったん分解して再構築したものだから、本来の自然とは違います。でも、そこに本来の自然に通じる心を感じ取る。里山もそう。里山を見て「自然は美しい」と感じる人が多いけど、あれは人工改変された自然の代表みたいなものですよね。

暦本　＊22枯山水《かれさんすい》はどうですか？

落合　枯山水ぐらいまで抽象化すると、微分仏に近づいちゃう。風景を微分し始めると、枯山水に行き着くかもしれない。

暦本　微分積分のことはともかく（笑）、たしかに日本文化は「市中の山居」とも呼ばれるように風景を美意識に基づいて分解して再構築するから、自然じゃないけど自然を

「寂隠」の竹の柱

監修：茶美会文化研究所／設計・施工：数寄屋建築茶美会／撮影：小笠原敏孝

感じるようなエッセンスがいろんなところにありますよね。
「寂隠」の竹の柱も、節と節の間隔をわざわざ上と下で違えているんだけど、それが生き物の成長を暗示していたりする。

落合　室内はけっこう人工的だけど、外の庭と通ずるところにあたかも自然であるかのように石を置いたりしていますよね。
　こうすると外と地続きの自然に見えるけど、ここに石があること自体がものすごく不自然。自然を不自然に置くことでアートになっているんだけど、構成要素はほぼ自然物なんですよ。

暦本　京都は、目に入るものほとんどすべてが人工物ですからね。どれもみんな、べらぼうに人の手がかかっている。「自然が感じられていいね」と思われがちだけど、お寺にしても何にしても、自然を巧みに再構成したものを見せているんです。

それがヴェルサイユ宮殿みたいにあからさまな人工物じゃないのが、日本の良いところ。人工物だとは気がつかなくて、「これって自然に生えているんでしょ？」みたいな感覚があるじゃないですか。お茶室の花でも、フッと摘んできてパッと活けるのがいちばんいい。「フッと摘んでくる」というこの美意識自体がめちゃめちゃ人工的ではあるんですけど、そのへんの野の花みたいに見せるのが究極の芸術なので。ダミアン・ハースト[*23]の描く桜みたいなアートは、「おれがつくった桜」という本人の体臭がキツすぎて、日本の室内には飾れないでしょ。美術館ならいいんだけど、日常生活にはなじまない。

落合　たしかに。そこに記名されたダミアン・ハーストがいる感じになっちゃう。家の中にいたら、ちょっと面倒くさいだろうな。自然に人がついてくるといろいろやかましそうだから。

「産地アマゾン」のハマグリは自然物か

暦本　そういう日本の美意識はカーム・テクノロジー[*24]的なところがありますね。

落合　人工的な所作によってできているのに、自然のふりをしている。

暦本　それは、ユビキタス・コンピューティング[*25]やIoT[*26]の未来かもしれない。マーク・ワイザーが提唱したユビキタス・コンピューティングの概念をみんな勘違いして、「どこにでもいっぱいコンピュータ置けばいいんでしょ?」とガチャガチャになっちゃ

＊22　枯山水　日本式庭園で、池や流水などを用いずに、石と砂で山水を表現する庭園様式。室町時代に中国から伝わった水墨画などの影響による。京都にある龍安寺（りょうあんじ）の石庭が有名。

＊23　ダミアン・ハースト（1965－）　センセーショナルな作風でしばしば論争を巻き起こす英国の現代美術家。死んだサメやウシなどをホルマリン保存したシリーズ「Natural History」で知られる。2022年に国立新美術館で開催された「ダミアン・ハースト　桜」展では、桜をモチーフにした色彩豊かでダイナミックな風景画が話題となった。

＊24　カーム・テクノロジー　1995年に、「ユビキタス・コンピューティングの父」とも呼ばれるマーク・ワイザー（1952－1999）が提唱した概念。穏やかに生活の中に溶け込み、人々が無意識のうちに活用できるテクノロジーの在り方を示した。

ったので、「カーム・テクノロジー」と呼ぶようになったんですよね。目立たない静かな存在でありながら、見えないところでちゃんとわれわれを助けるのが究極のテクノロジーだという考え方。京都のお寺なんかは、ある意味でカーム・テクノロジーっぽいですよね。

落合　そうですね。柳宗悦は「民藝は人の手の美」といったんですけど、だからこそ僕は「テクノ民藝」があり得ると思ってずっと追いかけているんですよ。いまの若い子は、木をポキッと折ってきて作品にするより、iPadに絵を描くほうが早いですからね。デジタルへの距離とハードへの距離が違うんですよ。山に芝刈りに行くより、アマゾンのほうが早いので。つまりアマゾンの倉庫から来るものは彼らにとって自然物。

暦本　一瞬、ブラジルのアマゾンからジェット機で運ばれてくるのかと思った（笑）。そっちじゃないほうのアマゾンですね。

落合　はい、Amazon.co.jpのほうです。あそこが面白いのは、産地がシャッフルされたハマグリとか売っているところですね。「ハマグリ500グラム」[*27]を注文すると、どこで採ったのかわからないハマグリが届く。いわばハマグリのエイリアスを売っているわけです。料理して友達に出すと「このハマグリ美味しい。どこで買ったの？」「アマゾン」みたいな。
暦本　産地アマゾン（笑）。
落合　ハマグリから馬刺しまで、何でも採れる産地アマゾン。
暦本　ある意味で、すべてが「産地直送」ですね。
落合　そうそう。しかも距離が近いんですよ。届くまでの体感距離が。巨大な里山みたいなものかもしれない。
暦本　僕は、アマゾンは究極の3Dプリンターだと思っているんです。欲しいもののボ

＊25　ユビキタス・コンピューティング　社会や生活のあらゆるところにコンピュータが存在し、いつでもどこでも使える情報環境を意味する概念（「ユビキタス」は「遍在する」を意味するラテン語）。マーク・ワイザーは１９８８年に「ＰＣに代わる、日常のあらゆるものに埋め込まれた見えないコンピュータ」を提唱し、それがこの概念の始まりとなった。
＊26　ＩｏＴ　Internet of Things＝モノのインターネットの略称。家電や自動車など周囲に存在するモノがインターネットにつながる仕組みのこと。ＩｏＴによって、モノを遠隔で操作したり、モノ同士の通信が可能になったりする。
＊27　エイリアス　もともとは「偽名」「別名」「通称」などを意味する英単語。ＩＴ分野では、コマンドやプログラムなどを別のシンボルや識別子で登録する機能のことを指す。

タンを押すと、1日で「物質化」されるので。時間がもっと短縮化して、届くまで1時間になり、やがて10分になったら、完全に３Ｄプリンターですよ。

落合　ウーバーイーツは、ある意味で高性能のフードプリンターの代行サービスですね(笑)。一方、バーチャルレストラン[*28]の場合は、冷凍した料理をレンチンして届けているので、ある意味、電子レンジが３Ｄプリンターよりも優秀という話。アマゾンでも同じような仕組みがあれば、３Ｄプリンターとしての性能がさらに高まります。

暦本　配送車の中で調理すれば、物質化の効率を高められますよね。

何を「自然」と感じるかは距離の問題

落合　そうなると、アマゾンもまさに「自然」の一部として感じられるようになるかもしれません。「ちょっと庭でオリーブを採ってくるわ」みたいな感覚で、「ちょっとアマゾンでオリーブを」となるような気がします。

たとえば近所の魚屋さんにサンマを買いに行くお母さんの脳内では、魚屋はきっとすごく近い距離にあると思うんですよ。体を動かす距離と頭で考える距離は同じではない。いまはアマゾンにあらゆるものがあるせいで、日常生活に変な距離感が現れるようになっているんですよね。それで従来とは違う民藝や料理だとかが生まれそうになっているけど、まだみんな食材をネット通販ではあまり買わないので、「自然」っぽさがちょっと足りない。

暦本　ウーバーイーツに材料を届けてもらえばいいんじゃない？　それも、たったいま山から摘んできたような素材。産地直送ウーバーイーツ。

落合　それは全然あり得ますね。注文から30分後に、産地でカットされたばかりの松阪牛とかが届く。

暦本　僕は水耕栽培に凝っていたことがあるんです。パクチーとかクレソンとかバジル

＊28　バーチャルレストラン　実店舗とは業態の異なるデリバリー専門の飲食店。たとえば夜は実店舗で居酒屋を営みつつ、昼はランチをデリバリーのみで販売するなど、飲食店の副業的な位置づけのことが多い。実店舗を持たずにデリバリー販売だけを行うものは「ゴーストレストラン」という。

とか、日当たりさえ良ければすごい勢いで育つんですよ。完全に一家庭の消費量を上回るぐらい採れるから、毎日のようにジェノベーゼ[*29]をつくるような感じでした。穀物は育てるのが大変なんだけど、ああいう葉物は繁殖力がすごい。光合成の威力に圧倒された。

落合　穀物は保存が利くから買い置きでいいけど、そういう葉物こそ新鮮なものが欲しいですよね。

暦本　そうそう。もうちょっと技術が進んだら、葉物はスーパーで買わずに「自然」からの産地直送になるのかな。

落合　それが当たり前になったときに、人間はその松阪牛やパクチーを「自然」と感じるか、それとも人工環境でつくられた「人工物」と感じるか。裏庭でニワトリが産んだタマゴで目玉焼きをつくったら、「自然」の素材を料理した感覚になるじゃないですか。ウーバーイーツが持ってきたタマゴをそれと同じように違和感なく受け取れるようになるまで、あと何年ぐらいかかりますかね。僕はいまでも違和感なく、それを「自然」として受け取りますけど。外に取りに行くのも、ウーバーイーツの人が持ってきてくれるのも一緒じゃないですか。

何を「自然」と感じるかどうかは距離の問題で、そこには時間の距離、空間の距離、あとは意味の距離もあると思うけど、インターネットから来る物体との距離は自分が足を使って八百屋に行く距離より心理的に近いような気がするんですよ。そう感じた瞬間に、「自然」に近づくので。コンビニがはさまるとみんな「自然」じゃないと思うかもしれない。ウーバーイーツの場合、一風堂のラーメンは一風堂から来ていると思っているから。

暦本　たしかに。ならば松阪牛は牧場、パクチーは畑から来たと思える。

デジタルネイチャーは「都合のいい自然」

落合　つまりエイリアスのことを意識しなくなると、届くまでの経路はあまり気にならな

＊29　ジェノベーゼ　バジル、にんにく、松の実、オリーブオイルなどを混ぜてつくるイタリア料理のソース。おもにパスタに使う。

ない。そうなると、人類は不思議なことをやりだすんですよ。京都のお寺の庭が自然物だと思っている修学旅行生は、それが人工物だと気づいてない。

暦本　「自然はいいな」と思いながら、お寺の境内を歩いている。でも全部、人工物。

落合　すごく手入れされているんだけれど、それを知らないと距離が近くなっちゃうので。でもいずれ、それを知らない人がほとんどになっちゃうだろうな。

暦本　それが心地よければ、それでいいんですよね。本物の野生の山に行ったら、虫はいるし、クマはいるし、不潔だしで、あまり快適ではないでしょ。

だから、「自然っぽいけど手入れされている」というのは、人間にとって必要なことですよね。われわれにとって心地よい感覚は、もはや人工物とテクノロジーを使わないとつくれない。アンビエント・コンピューティング[*30]で、じつは裏に繊細な仕掛けがあるみたいなことはよくあるわけで。

落合　ゴリラの研究で有名な京都大学前総長の山極寿一《やまぎわじゅいち》さんに、「落合さんはデジタルネイチャー[*31]っていうけど、本当の自然は好きじゃないよね？」と聞かれたことがあるんです。「はい、デジタルネイチャーは都合のいい自然ですから」と答えました。

暦本　山極さんは、ゴリラの研究でアフリカに行って、何度もマラリアに罹《かか》っていますからね。リアルな自然の不快さをよく知っているんでしょう。

落合　山極さんは「自然の中で仕事をしていると、自然のことが大嫌いになるはずだ」とおっしゃっていましたね。僕は「おっしゃるとおりで、私は京都みたいな人工的な自然が好きなんです」などと答えました。ＶＲと同じような意味なんですけど。

暦本　ほとんどの人は、そのほうがいいですよね。クマは襲ってきますから。「森のくまさん」みたいなクマはいない（笑）。

落合　歌舞伎町より怖い。ただ知床《しれとこ》国立公園のクマは襲ってこなかったですね。歩いていたら遭遇したので「やっべぇ、おれ死んだわ」と思ったんですけど、「やあ」って言ったら「やあ」って挨拶してくれた（笑）。

＊30　アンビエント・コンピューティング　人が指示や操作をしなくても、コンピュータが必要な情報収集などを行うことができる状態を示す概念。「アンビエント」は「環境の」「周囲の」「取り巻く」といった意味の英単語。

＊31　デジタルネイチャー　落合が「人・モノ・自然・計算機・データが接続され脱構築される新しい自然」と定義する未来像。人間とコンピュータが区別なく一体として存在する計算機時代の自然観である。

暦本　それは飼いならされているクマってこと？

落合　僕の考えでは、あの公園は手入れされてない自然状態なのでクマが生態系の頂点にいるんですよ。その世界では、食物の供給のよいクマにとって人間は敵じゃない。だから、襲う必要がないんでしょう。

まあ、季節にもよると思いますが。おなかが減っていて、ほかに食べるものがなかったら、仕方なく人間を食べるかもしれません。

暦本　そうか。たしかに、われわれだって冷蔵庫の中にある食品に攻撃は加えないよね。いつでも食べられるから。

第3章　教えない教育の時代

AIは試行錯誤の回転数を上げる

――対談の最初のほうで、人類の知能が低下してもAIのサポートがあれば生きていけるようになるといった話がありました。これまでの社会では、IQテストや学力試験の成績などの高い人間が「優秀」とされる傾向が強かったわけですが、仮に将来IQテストが「オワコン」になったとき、どんな尺度で人間の価値を測ることになるのでしょう。

暦本　僕は落合君ほど過激ではないので（笑）、必ずしもIQテストがオワコンになるわけではないとも思っているんですよ。AIのサポートを受けるにしても、IQの高い人のほうが効率よく仕事を処理できることに変わりはないでしょう。単純な話、チャットGPTとやりとりするサイクルはIQの高い人のほうが速くなりますから。そもそも、AIに何を質問すべきかを考える上でもIQ的な能力は必要です。

落合　いまでも、グーグルの検索ウインドウに入力するキーワードの選択によって、得られる情報の精度には差が出ますからね。

暦本　ＩＱで測られているのは基本的に頭のサイクルの速さであって、良い発想を生めるかどうかとは直接は関係ない。回転の速さは作業効率を高めるだけです。

そのサイクルにＡＩが含まれると、全体の回転数が上がるでしょうね。いまのところＬＬＭはまだレスポンスが遅いけれど、今後それが速くなると、聞いた瞬間に答えが返ってきたり、聞き終わる前に食い気味に答えたりする。

そうやって全体のサイクルが速くなると、30分なら30分のあいだに投げられる質問の数がこれまでよりも激増するわけですよ。無駄かもしれない質問をバンバン投げられるので、試行錯誤の回数が増える。レスポンスが遅いと、一発で最適解を引き出したいから、それができない。レスポンスが速くなるほど、答えに到達するまでに無駄がいっぱいできます。そういう無駄な球をより多く投げられるのは、ＩＱの高い人かもしれませんね。

落合　前にも出てきた『26世紀青年』という映画では、農作物にスポーツドリンクを与えて枯らしていた低ＩＱ未来人たちに、主人公が「水をやると植物が育つ」ことを説明するんだけど、みんな理解してくれない。そこで主人公が「ＩＱの高い自分は植物と喋れるから、植物が水を欲しがっているのがわかる」みたいな説明をしたら、みんな理解したというシーンがありました。ロジックを組み立てることができないときには、ロジックではない方法で他人に説明するのが大切という教訓ですね。

暦本　相手はもはや因果関係すら理解できなくなっちゃっているんですよね。原因と結果のつながりがわからないから、「お気持ち」で納得させるしかない。

IQというパラメータに意味はあるのか

落合　IQテストは、因果推論ができるかを試す問題が多いですね。その因果推論機能が人間から外れると、コミュニケーションの取り方がまったく変わるんでしょうね。ただ、因果推論能力の高さと回転の速さは別なんじゃないかという気がします。IQが低くても回転の速い人はいるんじゃないかな。

たとえばIQテストでよくあるのは、4つぐらいのパターンを見せて、「じゃあ次の

5つめはどれでしょう」という問題。与えられた4つから原因と結果のパターンを発見して、5つめを推論させるわけです。AIにやらせたら、その手の問題の解答能力はめちゃくちゃ高いはずなんですよね。そこの因果推論をAIに委ねる場合、IQが低くても回転だけ速ければ作業効率を上げられるのではないかと。

暦本　なるほど。IQの高い人は推論能力が高い上に頭の回転が速いという印象があるけど、IQテストは回転の速さは測っていませんね。

落合　そうなんです。俗にいう「IQが高い人」には、IQテストと関係ない能力もあるような気がするんですよ。だとすると、そのIQっぽいけどIQとは違うパラメータは、AIによってオワコンにならない。じゃあ、IQ的な推論能力は低いけど回転だけは速いのはどんなタイプだろうと考えると、いまだと定形発達ではないといわれる人たちかもしれません。

暦本　たしかに、IQの高い人たちのソサエティには、そういうタイプもいる。言葉数は多いけど、理路整然と喋るわけではない感じの人。

落合　僕の教え子にもIQが高くないと公言する子がいましたが、研究はちゃんとできていました。本人は「コンピュータがなかったら無理だと思う」といいますけどね。数式を理解するのに時間がかかっちゃうけど、プログラムを書いて動いたものを使えば理解できるそうです。きっと頭の使い方が違うんでしょうね。でも、そうやってコンピュータを使っていると、推論能力が激減するような気もしていますけど。

暦本　独創的な発想のできる人のＩＱが高いのかと考えてみると、たしかにあんまり関係はないかもしれない。打数が多ければ打率が低くてもヒット数は稼げるのと同じで、回転が速ければ独創的なアイデアは出せますね。その一方で、じっくり時間をかけて考えた挙げ句にすごい作品をつくる人もいるじゃないですか。そういう人は、外から見ると凡庸に見えたりするかもしれない。

落合　そうですね。ゆっくり、ゆっくりと前進するから。

暦本　でも、すごく深いことを考えているわけですよね。だから今後はもしかすると、落合君のラボにいる子みたいな「コンピュータがないとできない思考」の先に、次の段階があるかもしれない。ＡＩと一緒に膨大な試行錯誤を繰り返すタイプの思考とも、自分の中で深く考え抜くのとも違う、新しい思考のオプションが増える気がします。だとすると、ますますＩＱテストを人間の尺度にするのはオワコンかもしれない。ＩＱというパラメータで人間の知性を測ることに果たして意味が残るのかどうかわからないですね。

数学の概念は教育で身につけるしかない

――ＩＱ以外で測る知性には、どんなものがあるのでしょうか。

落合　微分の考え方ができる人って、頭が良くて勉強も得意だと思うんですよ。でも、それはＩＱテストでは測れないんじゃないですかね。

暦本　距離じゃなくて速度とか、速度じゃなくて加速度みたいな話？

落合　そうです。たとえば理系の研究者は、１変数のパラメータをちょっとずつ動かしたときどうなるかとか、２変数だと動きがどう変わるのかとか、あるいは時間を止めて考えてみたりとかしますよね。加速度を固定するなら、速度をちょっと動かして考えてみようとか。ロボットの動きを分析するには、時間を止めたり、X軸かY軸を固定したりするじゃないですか。物事の仕組みを理解したり、変化を分析したりするときは、そういう思考法が求められる。

理系の研究者だけじゃなく、スポーツ選手もこれが得意だと思いますけどね。たとえば野球の投手が腕の振り方を変えようと思ったら、それ以外の体の動きは変えずに、いろいろな腕の動きで投げたボールがどうなるかを比較するでしょう。これは知性の中でも重要な要素だと思いますけど、生活の中でそれを考える人はあまりいない。

暦本　加速度の話ぐらいまでは実用の範囲内だから、生活感覚でわかりますね。でも解析学のイプシロン－デルタ論法[*1]になると、無限という概念を把握しないと理解できない。実用を超越した抽象的な数学だから、教わっても最初は何の話をしているのかわからない状態になる。イプシロン－デルタは高校で教えるんだっけ？

落合　いえ、大学1年生ですね。

暦本　たぶん理系の大学生でも、最初は「なんじゃこれは」と思うでしょ。見たことのない記号もたくさん出てくるし。微分に限らず、数学にはそういうところがありますよね。算数は、なんとなく身体感覚でわかるんです。円周を直径で割ったものが円周率とか、その求め方はわからなくても、何の話をしているかはわかるじゃないですか。

でもイプシロン−デルタとか、あるいは複素数などは、生活から超越しすぎていてわけがわからない。

もっとも、生活に密着しているはずの実用的な概念でも、身体感覚ではわからないものもあります。金融の「複利」なんかがそうですよね。利息を元本に組み込むので、エクスポネンシャル[*2]に増えていくんだけど、直観的には毎年同じ額だけ増えていくような気がするんです。

＊1　イプシロン−デルタ論法（ε−δ論法）　解析学（極限や収束などの概念を扱う数学の分野）で、実数値のみを用いることで関数の極限を厳密に定義する方法。ニュートンとライプニッツが創設した微分積分学は、実数の範囲では定義できない無限小や無限大の概念を用いていたが、1860年代にイプシロン−デルタ論法が完成したことで、無限小や無限大という概念を使わずに収束や連続が定義できるようになった。

＊2　エクスポネンシャル（指数関数的）「y=a^x」を、aを底とするxの指数関数という。その特徴は「倍々ゲーム」で値が大きく変化すること。これを「エクスポネンシャルな変化」という。人間は直観的にグラフが1、2、3、4……と直線的（リニア）に変化すると感じやすいが、指数関数的変化では1、2、4、8……といった具合に増え、途中から急激に値が大きくなる（1から始まった直線的な変化が11になったとき、エクスポネンシャルな変化では1024になっている）。

たとえば小学1年生が幅跳びか何かで30センチ跳べたとして、「明日から毎日1パーセントずつ距離を伸ばそう」といわれたら、とりあえず次は3ミリだから、できそうな気がするじゃないですか。でも、次の1パーセントは3ミリより長い。本当に1パーセントずつ記録を伸ばしたら、卒業までに月まで届いちゃうかもしれないわけです（笑）。複利計算とはそういうものですけど、これは直観的にはわからないので、教育で身につけるしかないでしょうね。

その概念が身についていないと、会話が成り立たないこともあります。コロナ禍のときも、両対数グラフ[*3]が理解できないために、おかしな状況分析をする人がいました。ＡＩという家庭教師がいても、そういう数学的な概念がわからないと、教わったことの意味がわからないかもしれない。投げる質問もトンチンカンなものになるだろうし。

落合　たしかに、そうした変化を直線的な変化と勘違いしていたら、議論にならないですよね。それこそテクノロジーも指数関数的に進歩するので、ＡＩも「まだこんなものか」と侮っていると、あるとき急激に精度が向上します。そういう感覚は、学校の数学教育で基礎をつくるしかないかもしれない。

「三角関数は役に立たない」論の愚かしさ

暦本　いま、高校の数学では線形代数[*4]やってないでしょ？

落合　やっていないと思いますね。3次元正方行列の固有値、固有ベクトルは大学からです。

暦本　だから、大学に入って「VRの研究をしたい」という学生たちが、みんな座標変換で詰まるんですよ。3次元グラフィックスって線形座標のかたまりなので、座標変換

＊3　両対数グラフ　縦軸と横軸がどちらも対数スケール（対数目盛り）になっているグラフ。対数スケールのグラフは、目盛りごとに値が倍々で増えていくので（ふつうのグラフが目盛りごとに10ずつ増えていくとしたら、対数グラフは目盛りごとに10倍、100倍、1000倍……と増えていくイメージ）、桁数が大きく異なる値の変化をおおまかに把握しやすい。ただし対数スケールの意味を知らないと、倍々の変化を直線的な変化だと勘違いしやすいので、注意が必要。たとえば「10」と「1万」は大きく離れた値だが、対数スケールでは「1」と「4」になるので、近い値に見えてしまう。

＊4　線形代数　線形空間（ベクトル空間）を研究する数学理論。行列や行列式が重要な役割を持つ。微分積分と並んで、物理学、工学、経済学などで不可欠な実用数学である。

がわからないと何もわからない。そういう分野の研究を推進したいなら早くから線形代数をやっておくべきなんです。ところが統計やコンピュータは積極的に教えたがるのに、なぜかその基礎となる線形代数は軽視する。重みづけのチョイスが謎なんですよね。たしかに統計の知識は一見すると役に立ちそうなんだけど、本当はその前段階として線形代数をやっておいたほうが、じつは応用が利く。データサイエンス的なことは、それこそチャットGPTに聞けば何でも教えてくれるけど、理解の前提となる微分や線形代数がわからないと、教わったことの意味がわからない。そういう意味で、いまは数学を教える順序がちょっと崩れているんじゃないか。

落合　僕が仕事で使う数学は、解析と線形代数ですね。

暦本　コンピュータのない時代は、3×3の行列のかけ算を手計算でやるのはすごく面倒くさかった。だから線形代数の勉強はあまり楽しくなかったけれど、いまはコンピュータで計算すればいいので、昔よりだいぶ楽になったはずですけどね。

落合　楽だと思いますよ。だから、もっと早くからやったほうがいい。そうじゃないと、なんでチャットGPTが動いているかわからないまま使うことになるんです。「開けたらベクトルじゃん」といっても、何のことかわからずポカンとされてしまう。

暦本　じつは、単に行列のかけ算をしているにすぎないからね。かけ算しているだけであんなにちゃんと素敵に振る舞うんだから不思議だけど。

落合　裏側の数学はけっこうシンプルですよね。ひたすらかけ算をしまくっている。微分にしても、コンピュータの中では差分法[＊5]ばかりですし。

暦本　そう。さっきのイプシロン−デルタみたいに無限小まではいかない。極小の値をちょっと変えたら別の極小値がちょっと増えたりするときの勾配《こうばい》を計算している。

落合　それぐらいまではみんな勉強してほしいと思うけど、そうはなっていないですね。

暦本　昔から数学は「何の役に立つの？」といわれがちで、謎の公式を覚えさせられたりする苦行みたいな感じだったけど、いまはコンピュータやＡＩなどで数学を使う場はたくさんある。「ここで役に立つんですよ」という話はいくらでもできるにもかかわら

＊5　差分法　微分方程式を差分方程式で近似して解く方法。関数$f(x)$でhを一定の有限値とするとき、$\Delta f(x)=f(x+h)-f(x)$を「$f(x)$の差分」という。差分を限りなくゼロに近づけたとき（$h \to 0$）の極限は微分と考えられるので、微分積分と同じ理論を使うことができる。

ず、そこにつなげて数学が語られないのはもったいないないですよ。
たまに政治家が「三角関数なんか大人になってから使ったことがない」とか「三角関数よりも金融経済を学ぶべき」などと発言するでしょ。だけど、彼らがメディアで発した音声が通信技術によってわれわれのところに届くまでに、三角関数がどれだけ使われているかを想像すると、気絶しそうになるよね（笑）。たとえばTikTokで動画を送るだけでも、三角関数を1億回ぐらい使うわけだけど。

落合　きっとフーリエ変換のない世界で生きているんでしょう。三角関数なしで通信するなんて、蝸牛管《かぎゅうかん》が入っていない耳で音を聞くみたいな話ですけどね。

暦本　やはり、どんなにコンピュータやAIが発達しても、母語と数学の学校教育は重要であり続けると思いますね。これはIQとはまた別の話なわけで。

テクノロジーの「原理」を知る喜び

落合　ニューラルネットワーク[*6]が全盛になった頃、自分のラボを始めたばかりの僕が最初に学生とニヤニヤしながら取り組んだのは、GAN[*7]はフーリエ変換を解けるかどうか、という問題だったんです。生成AIでいまなら解けるかもしれないけど、当時はまったくできませんでした。数式があれば一発で解けるけど、GANは波動では解けない。
ただ、フルコネクテッドの1層のニューラルネットワークは、ふつうにフーリエ変換が解けるんです。フーリエ変換というのは周波数成分を分離する話だから、ニューラルネットワークが全部コネクトされていて、こっちから加重を決めて足し合わせていくのは、フーリエ変換しているのと同様の計算ですね。フーリエ変換のバタフライ演算回路[*8]

＊6　ニューラルネットワーク　AIに大量のデータを学習させてデータの特徴や規則性を見つけさせることを「機械学習（マシンラーニング）」と呼ぶ。ニューラルネットワークは、その機械学習のアルゴリズムのひとつ。脳の神経回路をコンピュータープログラムで模倣し、脳の機能を人工的に表現した数理モデルである。さらにそのニューラルネットワークを多層化したのが、「ディープラーニング（深層学習）」。
＊7　GAN　Generative Adversarial Networks＝敵対的生成ネットワークの略称。2つのネットワークを競わせながら学習させるAIアルゴリズム。2014年にイアン・グッドフェローらが論文を発表した。何かを「本物」っぽくつくろうとするニューラルネットワークと、その「嘘」を見抜こうとするニューラルネットワークを戦わせることで、偽物がどんどん本物に近づいていく。「この世に存在しないが超リアルな人間の顔」の写真などが、これによって生成された。

とニューラルネットワークは、よく似ていますね。

僕らはフーリエ変換が高速のアルゴリズムであることを身体感覚として知らないから、そういう変なことをやるんですけど、そういう贅沢なリバースエンジニアリングをしてコンピュータの仕組みを知ることも重要だと思うんです。仕組みを知らなくても、コンピュータを実用的に使うことは誰でもできるんですけどね。

もっとわかりやすい例でいうと、小さい子どもがマインクラフト[*9]の上でスイッチを押しながらブール代数[*10]を喜んでやるんですよ。こっちで1を押すとあっちがゼロ、こっちでゼロを押すとあっちが1になる。

暦本　ああ、マインクラフトを無限に組み合わせるとコンピュータになりますよね。それは面白いと思います。『三体』[*11]というSF小説に人力コンピュータのエピソードがありますよね。兵隊を無限に並べて、右の人が手を上げたら手を下ろす。それを全部組み合わせるとOSになるみたいな。

落合　マインクラフトで現代のコンピュータを実現するには、そういう論理回路が3兆個くらい必要なわけです。「ブール代数すげぇ」とかいいながら、再帰的に10兆個のトランジスタを使うというのは、すごく人類っぽくていい。すごく贅沢なコンピューティング・リソースの使い方なんですけど。リッチな環境で死ぬほどリソースをつなげてつくっても、結局はマイコン以下（笑）。それでも喜びを得られるのが人類だよな、とも思って。

暦本　原理を知るのは、それ自体が面白いからね。僕は10代の頃に初めてDNAの話を

＊8　バタフライ演算回路　フーリエ変換は膨大な回数の計算が必要だが、その順序などを工夫することで計算量を大幅に減らすことができる。その計算手法である「FFT（高速フーリエ変換）」を構成するのが、バタフライ演算回路。この回路を使用することで、複数のFFTの結果を統合することができる。

＊9　マインクラフト　土や石、原木、水、溶岩などさまざまな種類のブロックを自由に使って構造物や装備品をつくり、外敵と戦ったり、オンラインでほかのプレーヤーと協力、競争をしたりなどして楽しむコンピュータ・ゲーム。レッドストーンという素材を用いて、電子回路のように論理ゲートを構成し、スイッチやセンサーなどによって作動する装置をつくることもできる。2023年の時点で、全世界の販売本数は3億本を突破。

＊10　ブール代数　英国の数学者ジョージ・ブール（1815－1864）が論理計算の場として導入した代数系。論理学の命題を記号化し、代数学を使って展開したもの。論理学、集合論への適用だけでなく、コンピュータの回路設計など、その応用範囲は広い。

＊11　『三体』　中国の作家・劉慈欣の全3部からなる長編SF小説。3つの太陽を持つ惑星で滅亡と復活を繰り返しながら科学技術を発達させた「三体人」と地球人との攻防を描く。日本語版は『三体』『三体Ⅱ　黒暗森林（上・下）』『三体Ⅲ　死神永生（上・下）』（いずれも早川書房）が、2019年から2021年にかけて発売された。

聞いて、「生命はこんなコンピュータで動いているのか！」と感動しました。そういう単純だけど本質的な喜びは大事。

落合　ですよね。だから、古典的なリソースを使えば一瞬で片づく話であっても、余剰リソースを使って原理的なものを追求するのが教育的なアプローチだと思うんです。

暦本　原理を無視してテクノロジーの使い方のみ習熟させるなら、ＡＩ家庭教師だけで事足りますね。

リソースを無駄遣いして変なことをするのが人間らしさ

落合　そういえば昔、うちの学生が、実験器具で使うネジを３Ｄプリンターで印刷していたことがあったんです。「おい。ネジはこの世界でもっとも規格化された製品で、買ってきたほうが５０００パーセント安いのに、君はなぜネジを自作しているんだ？」と聞きましたよ（笑）。

暦本　3Dプリンターの練習としては悪くない課題ですけどね。

落合　いや、実用のために量産していたんです。理由を聞いたら、「論文の締め切りが明日なんだけど、つくばエクスプレスで秋葉原まで往復すると2500円かかるから、ここで刷ったほうが安い」と。

暦本　あと1日あればアマゾンで間に合ったのに。

落合　そうなんですよ。でも、これはなかなか面白い体験でした。リソースは時間的な配分によってだいぶ変わるんですよね。AIが普及するとリソースの配分が変になるので、たぶん人間はこれまでと違う変なことをするようになるんですよ。未来の人類は、いまの人類から考えたら「なんでそんな無駄なことしているんだ？」と首をひねるようなことをする。

『バック・トゥ・ザ・フューチャー』[*12]でデロリアンに乗っていた2人が、2015年に

＊12　『バック・トゥ・ザ・フューチャー』　1985年に米国で製作されたSF映画。監督はロバート・ゼメキス、主演はマイケル・J・フォックス。スポーツカーのデロリアン・DMC-12を改造してタイムマシンを完成させた博士（ドク）の実験を手伝うことになった高校生が、ドクと共に30年前の1955年にタイムスリップする。1989年製作の『PART2』では、30年後の2015年にタイムスリップ。1990年には『PART3』も公開された。

『ジミー・キンメル・ライブ!』[*13]に出演した動画を見たことあります？
暦本　いや、知らない。あの映画の「PART2」では、1985年が現在で2015年が未来ですよね。そこをデロリアンで往復するわけだけど、その2015年が「現在」になったときに、ほんとに30年前の「過去」から来ちゃったという設定なのか。
落合　そうそう。司会者が「あの映画は30年後の未来を想像させるものでしたが、その30年後がやってきました」というと、スタジオにデロリアンが到着して2人が降りてくる。空飛ぶ車がまだ発明されていないことを知ってガッカリしたりするんですけど(笑)、ドクがスマートフォンを見て「これは小さいスーパーコンピュータだ！　これがあれば天文学者は計算ができるし、さまざまな数式も進行形で解くことができる！」と興奮するシーンがあるんです。でも番組の司会者から「いや、僕らはスマイリーマークや写真なんかを送るのに使うんですよ」と聞かされて、ドクは「人類の進化は止まってしまったんだ。どうでもいいテクノロジーによって」と嘆く。30年前の人類には、リソースの無駄遣いにしか見えないわけです。
暦本　なるほど。いまから30年後の人類も、たぶん変なことをしているでしょうね。

落合　でも、それが人間の進化としては正しいんじゃないかと思うんです。大昔にその技術を学んだ人は「なんでそんな無駄なことを」というけれど、それが進歩しきった世界ではリソースを無駄にして学ぶしかない。だからＡＩがリソース的に配分されまくると無駄な使い方ばかりするようになるだろうけれど、それで学べることはいっぱいあると思う。

人類は最終的にサルではなくネコになる？

暦本　そのとき、人類は何か生産的なことをやるのかな。

落合　とりあえず、知性とテクノロジーの余剰によって生まれる原理的なところまでし

＊13　『ジミー・キンメル・ライブ！』　２００３年から米国のＡＢＣテレビで放映されているトーク・ショー。司会のジミー・キンメルは、ニューヨーク市生まれのコメディアン、声優、俳優。２０１７年の第89回アカデミー賞授賞式でドナルド・トランプ大統領（当時）の政策を批判したことでも知られる。

か人々が共感できないんじゃないですかね。それが人類の発展史のような気がするから。

暦本　そうすると、最初に戻るということ？　ＩＱは下がりそうだけど。

落合　下がりますね。みんな、もうグループだけしか理解できない。

暦本　エモいかどうかだけが問われるようになる感じ？

落合　そうそう。「おれ、太鼓叩いた。気持ちいい」くらいしか残ってないというか。

暦本　ヒトがサルまで戻って、しかし身のまわりにＡＩはいっぱいある状態になっても、社会は成り立つかもしれない。

落合　成り立つでしょう。余剰な自然って、そういうことですから。

暦本　ですよね。ボタンを押すと餌が出てくるとか、それだけ覚えていれば生活は成り立つ。その裏にはコンピュータがあるけれど、もう文明が崩壊しているから、サル化したヒトにはわからない。でもＡＩは勝手にコンピュータを管理して修理もしてくれるので、ちゃんと社会は回っていく。

落合　僕のアトリエにいるネコは、自動餌やり器と自動水やり器と自動トイレで暮らしているから、人間の介助を受けてないんですよ。たまに僕が餌や水を入れ替えたりするけど、ヤツらはそれを自覚していないので。

暦本　飼い主は誰だと思っているの？　自動餌やり器をいちばん尊敬しているのかな。

落合　たぶん自然に湧いてくると思っているんでしょう。だから僕に対しては恩義をまったく感じていない。「おまえも餌食うか？」みたいな顔でこっちを見ますよ。「いくらでもあるから食っていいぞ」みたいな（笑）。

暦本　そこに上下関係はないんだ。

落合　トイレを掃除してくれる人という認知すらありませんからね。ＡＩ時代の人類はそんな感じになるんじゃないかな。もちろん、余剰資源で原理を探究したり、変なものをつくったりする人間もちょっとはいるだろうけれど、大多数はネコになっている気がする。

暦本　最終的に到達するのはサルじゃなくてネコ（笑）。

落合　でもネコが暮らしやすい環境は整っていくので、みなさんご安心くださいと。

暦本　ネコになった人間の評価軸は何だろうね。

落合　いいヤツが高く評価されるんじゃないですか。仕事はできないけど、めっちゃ愛想いいよね、という人が求められる。会話しているときに相槌を打つのがうまいとか。昔の宴会部長みたいなタイプかな。仕事はチャットGPTがやるから問題ない。

暦本　ああ、癒やし系みたいな人とか？　ネコもそのためにいるわけだしね。

落合　そう、対面で会っていると癒やされるような人です。メールだと厳しいことをいうかもしれないけど、それはAIが書いているから仕方がない。

暦本　そういうのはフィルタリングして表現を柔らかくできるからね。

落合　たしかに。マシュマロボタン[*14]を押せば問題ありません。

暦本　教育する側に求められるものも変わるでしょうね。勉強を教えること自体はAIが丁寧にやってくれるので、教え方のうまい下手で評価されることはなくなる。相手の意欲を高めたり慰めたりして、感情面をトータルに持ち上げてくれるのが「良い先生」になるのかもね。

落合　教育という面では。僕はいまでも、ラボで学生のつくったものに「すごーい！」とか感動する以外の仕事をしてないけど（笑）。

暦本　修論を書いている学生に「やった！　このあいだより5ページも増えたじゃ

ん！」とかね。

落合　学生が書いたプログラムを「先生、デバッグ（バグの修正や排除）してください」と持ってきても、チャットＧＰＴにやらせたほうが早いですし。

暦本　人間に渡す前にチャットＧＰＴに渡すべきでしょう。

落合　機械翻訳はみんな使うから、英語論文では三単現のｓとかの文法ミスが減りましたね。昔は文法ミスが死ぬほどあったけど。

暦本　論文の査読をしていても、ひどい英語はもう見ないですね。明確な破綻《はたん》はない。英文を批判する必要がないので、中身への批判に集中できるようになってきました。昔は必ず「ネイティブリーダーに読んでもらいなさい」とか「プルーフリーダー（校正者）に添削してもらいなさい」というコメントをつけたものだけれど。ただ翻訳が正確になったぶん、より基本的な国語力が問われるようになったとは言えます。さっきの微

＊14　マシュマロボタン　「マシュマロ」は、匿名の投稿をＡＩが精査して、ネガティブな言葉や性的な内容などをフィルタリングするメッセージサービス。そのような機能を持つ「ボタン」をメールにも実装すれば、厳しい叱責も柔和な表現に変換される……はず。

分や線形代数と同じですが。

「何が必要か」ではなく「何をしたいか」

――人類がネコ化すると、生産性が高いか低いかは評価の基準ではなくなるのでしょうか。

暦本　生産性というのは、全体における各個人のパフォーマンスが多いか少ないかという話ですよね。でも究極的にすべてが自動化したら分母がゼロになるので、たとえばひとりあたりＧＤＰという概念が意味を失ってしまう。ネコの餌をつくる人間さえいなくなったら、ひとりあたりＧＤＰは無限大。その世界では労働している人がゼロなので。どこかで会議をしていても、それは生産に寄与しない会議ごっこにすぎないかもしれない。

たとえばバスの運転を自動化して運転手がいなくなったら、そこではもうひとりあたりＧＤＰの概念が成り立ちません。バスのエンジニアなどはいるでしょうけど、少なくとも運転手という仕事での労働生産性の計算は成り立たなくなります。

落合　分母がゼロに近づくと、ただ資本収益率だけが向上していきますね。

暦本　いまの日本は「ひとりあたりＧＤＰが下がった」といわれますが、これから生産人口もどんどん減っていくので、全体の生産量が同じならひとりあたりＧＤＰは必然的に上がるけど、生産力そのものを失えば本当に滅びますよね。

――そういう世界で人間に必要とされる能力は何なのでしょうか。

暦本　その「必要」という概念そのものが壊れるんじゃないでしょうか。われわれは「生き残るために自分に何が必要か」と考えがちですが、とくに何も必要とされないだろうと思うんです。たとえばプロの絵描きになろうと思ったら、いまは絵を描く才能が必要とされますよね。でもそれをＡＩがやるようになると、そもそもその人が絵を描く「必要」があるのかどうかもよくわからないじゃないですか。

だから、考えるべきは「自分に何が必要か」ではなく、どちらかというと「自分は何がやりたいのか」だと思います。だって、自動餌やり器の世界で生きるネコは、別に何の能力も求められませんよね。

落合　ネコに求めるものはないですね。

暦本　人間が餌をくれるなら、「かわいい仕草ができる」とか「人に媚《こ》びることができる」みたいな能力がないと生き残れないかもしれないけど、自動的に餌が出てくる世界のネコは自分が何をすべきかという必要性を感じない。

落合　面白いことに、ネコ同士は「ニャー」って言わないんですよ。

暦本　じゃあ、「ニャー」は人間に媚びるときの鳴き声なんだ。

落合　そうです。あれは、人間に何かを要求するための意思表示なんだと思います。ネコ同士で「シャーッ!」ということはあるけど、ネコからネコに要求するときには「ニャー」っていわないんですよ。僕のネコは、3匹とも鳴きません。生後1ヶ月くらいからうちのアトリエにいるから、鳴く理由がないんでしょうね。去勢しているから、異性を呼ぶ必要もない。

暦本　その必要性がなくなった世界ではネコが「ニャー」と鳴かないことと、人類の能力の必要性の問題は、近いかもしれない。たぶん人類も、とくに必要はないけど微分や線形代数を勉強して面白がる人が何パーセントかは残るんでしょう。原理がわかること自体がエンタメなので。で、そういう人が何かを発明し続けるんだろうけど、それは他人に求められるからやるのではなく、自分が嬉しいからやるんですよね。

実用的な知識はAIで十分

――「三角関数なんか大人になってから使わない」とか「古文漢文なんて勉強しても無駄」などと学校教育の内容を批判する人たちは、役に立つ実用的な知識だけを教育すべきだと考えているのだと思います。楽しいから勉強するという感覚は、多くの人々にはあまり理解されないかもしれません。

暦本　「役に立たないものは学ぶ必要がない」というのは非常に貧しい発想だと思いますが、「こんな勉強は役に立たない」と思っていた人たちも、たぶんあと数ステップで面白い世界に入れたはずなんですよ。でも「数学は役に立たないし、つまらない」という前提で学校教育を受けてしまったので、そこまで進めない。同じ数学でも、データサイエンスはお金儲けに直結するような実用性が誰にでもわかるので、楽しくなくても勉強する気になるんでしょう。高校の教科書でもビックリするほど詳しく書いていますし。でも微分や線形代数はその前段階なので、何ステップか踏まないと実用性も見えてこないんですよね。

ただ、その前段階の原理を知らないまま実用的なデータサイエンスだけを学んでも、そこはもうAIができちゃう領域なんです。よくいわれるように、すぐ役立つものはすぐ古くなる。そういう勉強は、ネコが自動餌やり器のボタンの押し方を学ぶのと同じようなことかもしれませんね。それが果たして楽しいのかどうか。

落合君のところのネコは、その暮らしを楽しんでいるの？「ニャーと鳴かなくなった自分にはもう生き甲斐がない」とか悲しんでいたりはしない？

落合 どうなんですかね。淡々と安定した日々を送っていますけど、機嫌が悪いことはあります。「ニャー」と鳴こうと思ったけれど、鳴いたことがないからどうすればいいかわからない感じに見えたことはありましたね。

暦本　歌を忘れたカナリアみたいになっちゃったんだ。でも、鳥はたとえ餌が潤沢にあっても、単純に楽しみのために歌うと思う。そこはネコと違うのかもしれない。

落合　鳥の声を聞いていると、ずっと「私はここにいます、あなたは誰ですか」っていっているような感じがしますよね。

暦本　それは微分や線形代数を面白いと思う感情に近いかも。

落合　僕は高校生のときに鳥の鳴き方を練習して、真似ができるようになったんです。木にとまっている鳥に話しかけると、応答がいっぱい返ってきますよ。こっちの木からピヨピヨピヨ、あっちの木からピヨピヨ。「私はAです」「私はBです」「私はCです」と自己紹介されている感じ。

暦本　でもネコは、自分の食欲を満たすという実用的なコミュニケーションしかしないんだ。「ニャー」と鳴くこと自体は楽しくないのかな。

落合　たぶん、そうなんじゃないですか。基本は無言ですよ。鳴き声で喋っているのを見たことがない。鼻息で遊んでいることはあるけれども。

暦本　鳥とネコ、どっちが楽しいかな。いずれにしても、これまで人類は「生きるためにこれをすることが必要だ」という義務感で教育を受けてきたけど、必要なことをAIやロボットがやってくれる社会になると、目標を変更すべきかもしれませんね。「自分は何がやりたいか」を見つけるのも、けっこう訓練によって身につくスキルだろうから。あるいは、「好きなことをやっていいんだ」と思える環境が大事なのかな。そういう教育環境を整えないと、本当にみんなネコになっちゃうかもしれない。

求められるのは「ひとり遊びの才能」

落合　よく学生にこんな質問をするんですよ。「人類が滅亡しました。地球にはもうあなたひとりしかいません。でもインターネットはあって、アマゾンから自動配達便が届きます。さて、あなたは何をしますか?」——「えー?」と考え込む学生が多いんですけど、僕自身はアマゾンから素材を取り寄せて、ひとりでウキウキしながら彫刻をつくっていると思うんです。

もちろん、やりたいことは人によって違うでしょう。美味しいカレーをつくり始める人もいれば、人類が残した映画をすべて見ようとする人もいるかもしれない。あるいはCGで映画を自作して自分で鑑賞するとかね。

いずれにしても、そこで求められるのは「ひとり遊びの才能」なんですよ。うちのネコも、ひとり遊びの才能は高いです。ほうっておいても勝手に紐と格闘していますからね。その才能がないネコはけっこう大変だと思う。

落合　紐を与えてもジャレつかないネコは、ちょっと鬱っぽいと思う。

暦本　ネズミのおもちゃを渡すと永遠に追いかけているネコは、けっこういい感じ。

落合　そういう能力はどうやって身につくんだろう。

暦本　小さい頃からひとり遊びしているかどうかじゃないですか。暦本先生はその能力が高そうですよね。小さい頃、何して遊んでいました？　積み木を永遠に積み続けるとか、そういうタイプのような気がする。

落合　父親の書棚にある分厚い本を積み木にして遊んでいたね。ドストエフスキーを積み上げていた（笑）。

落合　僕は階段の上から母親がコレクションしたCDを投げるのが好きでしたね。コロコロコロと気持ちいい転がり方をするので、その動きを見ているだけで楽しかった。

暦本　このあいだ、うちの奥さんと衝撃の会話があったんですよ。奥さんに「あまり人に興味ないでしょ？」と聞いたら「ない」というから、「いや僕もないんだよね」と。それでどうして夫婦が成立するのかよくわからない（笑）。ひとり遊びができるネコ同士が、たまたま共生しているにすぎないのかもしれない。だからコロナ禍で巣ごもり状態になったときも、２人とも何も変わらなかった。

僕は人の性格って、「内向き／外向き」と「陰キャ／陽キャ」の組み合わせだと思っているんですよ。ふつうは外向きが陽キャ、内向きは陰キャだと思われていますよね。だけど、じつは２つの軸は直交してマトリックスを形成しているので、必ずしもその２パターンだけではない。僕自身は「内向き／陽キャ」なんです。

一方、コロナ禍の巣ごもりのとき「外に出て人に会っていないとメンタルが落ち込む」という人がいましたけど、それは「外向き／陰キャ」。そういう人たちが「やっぱり出社しないと良くない」「対面じゃないとできない話がある」なんていっていたんでしょう。そうしないとメンタルがもたない人がいるんですよ。ちなみにネコは群れないんだっけ？

落合　単独行動ですね。

暦本　じゃあ、ネコは「内向き／陽キャ」ですね。

落合　だからひとり遊びが得意。

暦本　イヌは「外向き／陰キャ」かもしれない。

落合　たしかに。イヌはあまりひとり遊びをしないイメージがあります。

能力を判定するならAOよりペーパーテスト

暦本　幼稚園児でも、そういう個人差があるのかな。ひとりで勝手に遊んでいられる子と、「みんなでお遊戯しましょう」とかいわれないと動かない子がいる？

落合　たぶん、かなり個人差があると思いますね。しかも、その頃にひとり遊びの能力を身につけないと、一生そのままのような気がする。遺伝だったら怖いですけどね。

暦本　例の『26世紀青年』だと、知能が高いほど進化的な淘汰圧がかかる。知能が高い人は子をつくらないから、減っていくんですよね。ひとり遊び能力の高い人はどちらかというと子孫を残しにくいので、減っていく可能性が大きいかもしれない。でもあの映画は、ハッピーエンドなんですよね。

落合　最後は、なんとなく退化した人類が愛おしく思えてくるんですよ。みんないいヤツだから。

暦本　心が清いんですよね。だから、どっちの社会がいいのかわからない。IQが低くていいヤツばかりなのと、みんな賢いけどギスギスしているのと。

落合　前にもいいましたが、今後はそれが局在化するんですよ。前者のほうが圧倒的に多くなるから、いいヤツは重要。

暦本　それがいいかどうかは別にして、そういう傾向は出てくるかもしれない。ふつうIQの分布はベルカーブを描くので平均値付近がいちばん多くなるけど、それが両端にピークが現れる形に変わるとしたら、格差社会的ですよね。圧倒的な割合を占める低I

Qの大衆と、ごく一部のエリートで構成される社会。かつての封建的な貴族社会の世界観にも近いものになってしまう。

——そうなると、学校の試験などでは何を測ることになるんでしょう。いまは入試でも、ペーパーテストからＡＯ[*15]へという流れがありますが、これは知能や学力より「いいヤツ」かどうかを判別しているようにも思えます。

暦本　いまアメリカの大学はほぼＡＯ的な入試ですが、入学後にかなりの割合で成績の低い学生をふるい落としているんじゃないですか。日本の大学は入試にさえ合格すればほとんど卒業までできるので、入試をＡＯにするなら、途中でドロップさせるシステムが必要なのかもしれません。ペーパーテストを課せばある程度は学力のベースラインがキープできるけど、大学の勉強についてこられるかどうかを面接で見極めるのはきわめて難しい。面接では「いいヤツ」に見える人がたくさん入ってくるけど、すぐにじつは

＊15　ＡＯ　小論文や面接などで人物を評価して合否を判断する選抜制度。米国では入学許可担当事務局（Admissions Office）が選抜を行うため「ＡＯ制度」と呼ばれるが、日本の大学などで実施されている「ＡＯ入試」は米国のスタイルと必ずしも同じではなく、正式には「総合型選抜」という。

ネコだったのがバレることが多い気がしますね。

落合　僕は、ＡＯに対抗する必殺技をここ3年くらいの経験から見出したんですよ。学生がプレゼンに使うノートパソコンのデスクトップを見せてもらうんです。すると、ソフトウェアやファイルの配置でだいたい何をつくれる人なのか察しがつきますね。事前にそのために準備してきたプレゼン資料や面接での会話だけでは、この能力は見えてこない。その意味で面接とは異なる尺度のやっぱりペーパーテストは重要ですよね。

暦本　ペーパーテストを否定する人は、よく「偏差値だけが基準では個性が失われる」というんですけど、偏差値教育ごときで失われる程度の個性なんか個性のうちに入らないんです。科目数は減らしていいかもしれませんが、数学と母語と英語のペーパーテストなどは続けたほうがいいと思いますね。

しかも今後は、ＡＩを使って個々の受験者に違うレベルの問題を出すことも可能でしょう。たとえば中学や高校の期末テストでそれぞれの学力の伸び具合を知りたいなら、そういうやり方もできる。

落合　科目は何であれ、質問に対して自分ひとりで考えた答えをいっぱい書かせるのも重要だと思いますね。ＡＯの面接だと、相手とコミュニケーションをする中で対応できちゃうから。対話可能な状態で面白い答えを出してくる人間を高く評価すると、人と対話不能な状態では何もつくれないヤツを選んでしまうおそれがある。応答は得意だけど、ひとりで作業させると全然進まない子が交ざるんですよ。

暦本　ひとり遊び能力の判定機構があれば、ＡＯも少しは良くなるかもしれないですね。

知る喜びを教える「ＤＪ」としての大学教員

――大学の先生が果たす役割も、これから大きく変わりそうですが。

暦本　僕はもうすぐ退官なので、傍観者になれますけどね（笑）。映画館の座席で『26世紀青年』を見るような気分。

落合　僕はおそろしいことに、あと30年ぐらいある。最後に教える子は、僕が65歳のときに23歳ぐらいだから……6年後ぐらいに生まれるのかな？

暦本　２０３０年に生まれる子を教えるんだ。ネコだったらどうする？

落合　やっぱりネコと一緒に喜ぶ能力が重要になりますかね。でも僕は宴会芸が苦手なので、けっこう難しいな。ＤＪみたいなポジションなら、宴会でも誰も話しかけてこないから、やれそうな気がします。音楽をかけて「ウェーイ」ってやっているだけでいいから、僕に向いていますね。自分が好きな曲をかけて遊んでいれば、みんなが喜んでくれる。

暦本　大学という宴会場でひとり遊びすることが教育になるという。

落合　「今日もＡＩをつくって微分しようぜ！　ウェーイ！」みたいな（笑）。そういう喜び方を教えればいいんじゃないですかね。

暦本　勉強を教えること自体は、もう人間がやらなくていいですからね。

　でもそうなると、卒業資格や博士号を与えるギルドみたいなシステムとして機能している試験がどうなっていくかは興味があります。実質的には不要になるのかな。いまは大学に「合格」と「卒業」という資格だけを求める人が多いから、入口から出口までの期間は勉強しなくていい、というムードがありますよね。

でもその教育の部分がＡＩでやれるようになったら、そもそも大学に行く必要もなくなるのかもしれない。個別に家庭教師をつけたほうが教育効率が高いことは明らかですし。どこの大学を出たかという学歴を問うのは社会制度の問題であって、教育の本質とはあまり関係ないですからね。いまは東大の先生よりレベルの高い授業をいくらでも受けられるので、「学ぶ」という部分だけに限定していうと、オンライン講座のほうがいい。一方、そこそこ地頭の良いヤツらが無駄に暇で集まっている、という時空間は大事だとも思う。それが実空間なのか、サイバースペースなのかはあるとしても。

そう考えると、落合君が最後に教える子が生まれる頃までに、大学の在り方そのものが大きく変わっていることは間違いないでしょう。

第4章　「必要とされる」からの解放

AIは知能の格差を広げる

――AIは「友達」のような存在だという話がありましたが、一般的には「人間の仕事が奪われてしまう」などとAIと人間を敵対的な関係としてとらえている人も多いと思います。AIと人間の関係性は、将来どのようになるのでしょう。道具として使うものなのか、あるいは人間とAIが融合するようなイメージなのか。

落合　単なる道具よりは、身体的な存在だと思います。ただ、昔の記憶を思い出すようにＡＩの思考が人間の頭の中に出てくるかとなると、そうなるまでにはちょっと時間がかかるでしょうね。いずれにしろ、大事なのはうまく使うことです。そもそも、仮に人間の知性が二極化したとしても、サルやネコと人類の差に比べたら、人間同士の差は誤差の範囲内。その意味では、人類の知性はある意味でほぼ一定なんですね。だけど、チャットＧＰＴの登場以降、たとえばパイソンでそれまでの１００倍以上のコードを書くようになった人は、すごく少ないでしょう。人類全体の生産能力はものすごく上がったはずなのに、実際に生産する人類は少ないんですよ。

つまり、AIによって知性がまんべんなく行き渡っても、それを利用する人間は少ない。オープンAI[*1]の人たちは「これで人類に知性を配り終えたから、格差は解消されるぜ」と真面目に考えている可能性があるけど、配ればみんな知性が高まるかというと、たぶんそんなことはない。

暦本　AIは人間の能力を拡張しますが、使うかどうかしだいで差は広がりますよね。ポンコツの車しかなければみんな平等ですけど、全員がポルシェを持っていたら、その中でドライビングテクニックの差が生じるじゃないですか。みんな昔よりも速く走れるようになるけど、差も大きくなっていく。

落合　いまの格差より、もっとタチの悪い格差になるかもしれません。

暦本　そう考えると、知能の分布がベルカーブを描くというのも、じつはまやかしなの

＊1　オープンAI　AIの開発を行っている米国の企業。対話型生成AI「チャットGPT」はその代表作。サム・アルトマン、イーロン・マスクらによって、2015年に非営利法人として設立された。2018年にはイーロン・マスクが役員を辞任。2019年には営利部門の「OpenAI LP」を設立した。

かもしれない。何もテクノロジーを使わない生身の人間なら、身長と同じように知能も正規分布するはずだけど、そこにテクノロジーが関わると現実には格差が生じる。実際、収入は正規分布せず、べき分布[*2]になりますからね。

落合　収入の少ない人が大勢いて、収入が多いほど人数が減る。グラフにすると、左端がピークで、右下がりのロングテールになりますね。

暦本　生身のＩＱは正規分布するにもかかわらず、そのパフォーマンスの結果としての収入は、べき分布。だから、すでにそこには格差があるんでしょうね。農業だけの時代ならそうはならないけど、資本やテクノロジーが介在する社会では、差が極端に積み上がってしまう。これからは、ＡＩとうまくつきあえるかどうかで、ますます差は広がるような気がします。

「人間とは何か？」とは考えなくていい

落合　ＡＩを警戒する人が絶えないのは前から不思議だったんですけど、去年、東浩紀《あずまひろき》さんと対談したときに、その問題が発生する理由がわかってきたんです。「人間」という言葉を口にする回数が多い人ほど、テクノフォビアみたいになるんじゃないかと思うんですよ。

みんな「人間、人間」というでしょ？　でも、なんで人間とＡＩを比べているのかが、そもそもよくわからない。

暦本　たぶん、自分が他者や社会に必要とされることが重要なんでしょう。「ＡＩがあればおまえは必要ない」といわれることに耐えられない。必要とされないと、生きている意味が感じられないと思っているんじゃないだろうか。

落合　そうなんですかね。まあ、たしかに西洋哲学は「人間」が好きだし、「必要」と

＊2　べき分布　身長、体重、学業成績といった、自然界の現象や人間の行動などの多くは、分布グラフが平均値を中心として左右対称のベルカーブを描く。これを「正規分布」という。しかし、それとはまったく異なり、べき乗則にしたがう（左端がピークで右に行くほど減っていく）分布となる現象も少なくない。19世紀終盤に「80：20の法則」で知られるイタリアのヴィルフレド・パレートが収入分布の研究を通して発見したその分布パターンを「べき分布」という。地震の大きさと頻度、ネットワークのリンク数なども、べき分布することが知られている。

いう概念も重視するけど。

暦本　東洋思想は？　＊3荘子《そうし》とかは、そうでもないですよね。

落合　たしかに。荘子は人間中心主義ではないし、仏教もそうです。だから東さんとの対談では、僕は「もう人間はいいんだよ」という結論に達しました。僕は最初から、「人間とは何か」は本当にどうでもいいと思っている立場なんです。

暦本先生も、＊4「人間拡張」というテーマを掲げているわりには、「人間とは何か」みたいな話はあまりされませんよね。

暦本　まあ、奥さんとも「人に興味がない」という話になったぐらいだから（笑）。あらためて自問すると、それほど興味がないかもしれないと思っています。

落合　人間拡張は、人間の補集合ですからね。

暦本　オートメーション社会になればなるほど、当然、人間の要らない領域は増えるじゃないですか。そのときに「やっぱり人間は必要だ」という立場と、「要らないなら要らないでオーケー」という立場では、発想がまったく違う。僕は、後者を原点にして考えたほうがいいと思うんです。自律分散型社会の要素として人間拡張があるイメージです。

それこそ餌が自動的に出てくるネコ社会では、「ネコとは何か」なんて自問しないでしょう。「人間に必要とされなくなったら餌がもらえない」とも考えない。いま、多くの人が「自分が誰にも必要とされなくなったらどうしよう」と思い悩むのは、必要とされないと仕事がなくなり、最終的には飢えてしまうからですよね。そのリスクがなくなれば、「必要とされる人間でいたい」とも思わなくなるかもしれない。

落合　仕事がなくなっても、少なくとも日本では生きていけるはずなんですけどね。耕

＊3　荘子（生没年未詳）　中国戦国時代（紀元前403－紀元前221年）の思想家。諸子百家のひとつ「道家」を代表する存在。司馬遷の『史記』によると、老子の思想を継承し、孔子を批判したとされるが、荘子のほうが老子に先立つ思想家だという説も有力視されている。その思想の根底にあるのは「斉物」という概念。現実の善悪や貴賤といったすべての価値観を超越視する、観念哲学の一種とされる。

＊4　人間拡張　人間の認知や身体能力の限界をテクノロジーによって超えようとする考え方。暦本は著書『妄想する頭思考する手』（祥伝社）の中で、〈私が研究している「ヒューマン・コンピュータ・インタラクション」という分野は、人間と機械を「つなぐ」のがテーマだが、それは人間と機械の境目が曖昧になる、あるいは「なくなる」ことを意味している。「ヒューマン・コンピュータ・インテグレーション」と言ったほうが正確かもしれない。機械を自らの中に取り込むことによって、「人間」という概念がこれまでよりも広がる。それが、私の抱いている妄想の土台である「人間拡張（Human Augmentation）」だ。〉と述べている。

作放棄地や空き家はいっぱいありますし、作物被害が多いから狩るべき野生のタンパク質もそのへんにいっぱい歩いているのが、日本の主な現状なんですよ。

つまり、社会との関わりがない場所ならば、リソースは無限にある。さらに農業を始めれば補助金なんかも入ってくるから、生きていけるかもしれない。

しかも、それはけっこう楽しい。シカやイノシシを猟で撃ったり好きな野菜や穀物を育てたりしつつ、毎日プログラミングしながら研究していていいですよといわれたら、楽しいじゃないですか。にもかかわらず「人に必要とされないと嫌だ」というのは、僕にはよくわからない。

人はなぜ自分が「必要」とされたいのか

暦本　いまの生活が単なる思い込みにすぎないのかもしれないよね。その思い込みがバーンと外れると、みんなそっちに行ける可能性がある。古民家ユーチューバーって知っています？　古民家を50万円ぐらいで買い取って、延々と自分で直していくんですよ。みんながうまくいっているわけでもないけど、すごく楽しそうな人もいる。あれ、生活コストがほとんどゼロなんですよね。近所の人が余った野菜なんかをくれるので。

落合　だから、ほかの国では飢えるかもしれないけど、たぶん日本で飢えることは少ないですよね。「生活保護が受けられるから」という話ではなくて、飢えないだけの環境がある。そういう世界において「必要とされる人間」とはいったい何なのかは、一度考えてみたほうがいいでしょうね。

暦本　そもそも「必要」という概念はいつ生まれたんだろう。封建社会では有無をいわさず「おまえは米をつくれ」などと、やるべきことが自動的に決まっていたわけだし。

落合　他人に必要とされるから米をつくっていたわけじゃないですもんね。

暦本　そう。必要もヘチマもなく、「これがおまえの仕事だ」って生まれたときから決まっていた。

落合　自由経済が入ってきた江戸末期から明治頃から「必要」といい出したんじゃないですか。

暦本　そうか、近代資本主義社会の概念なのかもしれないね。封建社会ではすべてが生まれたときからフィックスされているので「必要」という概念はなかったけど、近代的な市民社会になったときに初めて、「自分はAもできるしBもできるけど、どうすべきか」「Bをするためには何が必要なのか」などと考えるようになった。

落合　西洋哲学が本格的に入ってきたのもその頃ですからね。それによって人間中心主義になれば、「必要とされる人間」でなければ価値がないと考えるようになるかもしれない。だから人間から「必要性」を奪うAIの存在に不安を感じるんでしょう。

AIに任せても自己充足感は得られる

暦本　でも自分に何かやりたいことさえあれば、AIはすごく便利なツールなので、ハッピー以外にないような気がするんだけどね。「AIに仕事を奪われる」というけど、そもそもAIにできるような仕事を本当に自分でやりたいと思っているのかどうかも疑問です。ただ、アートについてはよくわからない。ＡＩは絵も描けるけど、そもそも人類って、ああいう絵を描きたいの？　もしかしたら、ＡＩの描いた絵を見て「自分もああいう絵を描きたい」というモチベーションが生まれるのかな。

落合　なんとなく、「飾りたい絵」と「描きたい絵」が入れ子になっているような気がします。たとえばアンディ・ウォーホルはアーティストだけど、実質的にはファクトリーでつくっていましたよね。ウォーホル自身は、そこに成果物を置いておきたいだけで、別に描く喜びのためにやっていたわけではないと思います。

暦本　モダンな人は、最終的な成果物を重視していて、それを制作するプロセスにはあんまりこだわっていない？

落合　こだわっていないと思います。現代アートなんてファクトリーもあるし、１９６０年代からそうなので。

暦本　描いたのがアトリエで働く手下の人間でも、あるいはロボットやＡＩでも、そこはどちらでもいい？

落合　どっちでもいいと思います。もちろんアートの世界には、手法やプロセスに意味を見出す人たちも半分ぐらいは交ざっていると思いますけど。僕自身は、最終成果物が出てくれれば面白い。だって、プログラムを使って絵を描いたり物を動かしたりしているわけですから。

暦本　でも、それは落合君が自分でプログラムを書いているから、「自分でつくっている感」があるわけでしょ。

落合　ええ、一応それはありますね。

暦本　そこには自己主体感[*5]（sense of agency）があるわけで、他人やＡＩが勝手にやっちゃったのとは違うと思うんですよ。自分でピアノを弾けているのと、ロボットが弾くのを聴くのは、やはり違う。ロボットが弾くプログラムを自分がつくるという中間段階もあるけど、そこに自己充足感があるかどうかという問題はあるでしょう。

たとえば、観光地ではみんな風景写真を撮りますよね。秋の京都なら、紅葉を撮りまくる。ところが自分で撮らなくても、そんな写真はいくらでも鑑賞できるわけです。それなのに絵葉書の写真とまったく同じ構図で撮影して、「絵葉書みたーい」と喜んだりするじゃないですか（笑）。やっぱり、最終成果物を愛でるだけでは得られない「自分がつくった感」が嬉しいんですよ。ＡＩで生成した写真には、それがない。

落合　僕も自分で写真はよく撮りますけど、生成ＡＩでもつくりますね。

暦本　それはどちらも「ひとり遊び」の喜びだと思うんですよ。だから結局、ＡＩという道具を主体的に使えるかどうかが大事だということに尽きるんでしょう。

ＡＩ時代と「無用の用」は相性が良い

落合　ひとり遊びに喜びを見出せるようになるには、やはり西洋近代由来の人間中心主義から抜け出さないと無理だと思いますね。でも、現代の日本人はみんなそういう教育を受けているから、なかなか難しい。

暦本　僕は高校のとき、倫社（倫理・社会）の授業で「ひとり哲学者を選んでみんなの

＊5　自己主体感　ある行為を自分自身で行っている感覚。自己認識に関わる主要な要素のひとつであると考えられている。

前で発表する」みたいな課題を出されたときに、荘子を選んだんですよ。その授業ではなんとなく西洋哲学が前提であるかのような空気を感じたので、あえて荘子。これがすごく面白かった。

落合　荘子はいいですよね。最高です。

暦本　「自分とは何か」という西洋的なアイデンティティの探究って、荘子のような東洋的世界観と根本的に違いますよね。

落合　西洋はなんだか大変そうだな、と思っちゃいます。

暦本　そうそう。アイデンティティなんか探究し始めたら破綻しちゃうんじゃないかと思うんだけど、西洋哲学はそれを求めて悩みまくるわけです。その授業でキルケゴールを選んだクラスメートもいたけれど、「それ、病んでる人じゃん」なんて思っていました。病んだり悩んだりしている人のことを勉強しても楽しくないので、僕は荘子。中国の場合、思想家や詩人が酔っ払っていること多くない？　漢詩も「さあ飲もう」みたいなノリで、楽しそう（笑）。

落合　たしかに、荘子や老子は必要性という意味ではあまり悩んでいないですね。

暦本　必要とされる木はすぐに刈られちゃうけど、用がない木は大木になれる――というのが老荘ですね。「無用の用」というやつです。

落合　まさに「必要」の概念とは逆。

暦本　「無用の用」のような思想は、AI時代と相性が良いかもしれない。

落合　釈迦もそうですよ。29歳ぐらいまで、ニーズのない悩みを、ひとりで悩んでいた。

暦本　西洋哲学が輸入されるまでの江戸時代は、どんな思想だった？

落合　儒教ですよね。規範的。

暦本　しきたりや礼儀作法みたいなものはシステムとしてはよくできているので、あまり悩む要素がないよね。お侍さんなんか「滅私」だし。「主君のために死ぬ。以上」という感じだから、「私とは何か」とか考えない。

落合　儒教はオントロジカルですが、実存的な悩みをその分脈で聞いたことがないですね。

暦本　じゃあ、日本人は明治になってから悩み始めたんだな。誰が悩みだしたの？

落合　福澤諭吉とか？

暦本　福澤先生か。あとは夏目漱石かな。『こころ』とか、病んでいますよね。ロンドン留学中には神経衰弱になっちゃって、誰にも会わずに下宿先で本ばかり読んでいた。そうやって西洋の情報を頭に詰め込んで帰ってきたんですよね。

落合　そういう人が書いたものを、小学生から読まされたりしますから影響は大きいでしょう。『こころ』みたいなものこそが文学だと刷り込まれる。「誠実に生きるとは何か」みたいな感想文を書かされたりして。

暦本　自分自身と極限まで向き合うような話だから、まさに西洋近代的な「自分探し」なんですよ。漱石って最初のうちは自ら「余裕派」と称したぐらいだったから、そういうシリアスさはなかったはずなんだけど。『坊っちゃん』なんか、落語みたいなものじゃないですか。そこには江戸時代の余韻がまだあったんでしょうね。面白おかしく語って、あまり悩んだりしない。

落合　そもそも最初はネコだったわけで。やっぱりキーワードはネコ（笑）。

暦本　ははは、そうだよね。いきなり「吾輩は猫である」と宣言してデビューした人だった。それがだんだん悩むようになる。

落合　ネコから人間中心主義に変わっていったんですね。

西洋的アイデンティティ・クライシスが起こる

――明治期の文明開化で西洋的な人間中心主義に変わったとすると、ＡＩの出現という「文明開化」も大きな変化をもたらすのかもしれませんね。

暦本　たしかに、良い学校から良い会社に入って、優秀なホワイトカラーとして「必要」とされることで出世する――という従来のモデルがひっくり返るかどうかは興味深いところです。たぶん、第一次産業や医療従事者のようなエッセンシャルワーカーは相変わらず重要な存在のままだと思うんですよ。ロボットなどとの置き換えがなかなか難しいので、体を使う仕事の価値は基本的に下がらないんですよ。

でも、会議室でのお喋りやエクセルにデータを打ち込む作業などがＡＩに置き換えられると、ホワイトカラーは不要になる。いまのところまだ給与はホワイトカラーのほうが高いけど、それ自体が虚構ですからね。実状に合わせて、ホワイトカラーの給与はどんどん下がっていくかもしれません。産業革命によって直接の生産に関与しない職種として誕生したのがホワイトカラーですから、テクノロジーによって生まれた職種だといえる。とすると今後のテクノロジーの進化によってその立ち位置は変化していくでしょう。

そうなると、ホワイトカラーになるために大学に行って高等教育を受けるモチベーションは急激に低下しますよね。学力の偏差値なんかどうでもいいから、丈夫で健康な体をつくりたいということになっちゃう。明治維新以降、富国強兵・殖産興業みたいな目的を持つ社会は、高い教育を受けた人が高い給与を受ける権利があるという前提で営まれてきたわけです。それがもう要らないとなると、やっぱりネコまで行くのかな。

落合　そうかもしれませんね。でも、この新しい「文明開化」の影響は西洋のほうが大きいんじゃないですか。19世紀末ぐらいから西洋が東洋を侵略する形で自分たちの考え方を押しつけていったわけですけど、いまは技術発展によって世界中で西洋哲学が瓦解《がかい》しつつある。だから、これから起こるアイデンティティ・クライシスは向こうのほうが深刻でしょう。日本は、ほんの150年前に戻るかもしれない。

暦本　なるほど、ふと我に返って、本来の自分を取り戻せばいいのか。もちろん、「江戸時代に戻ればいい」という単純な再評価では済まないだろうけどね。江戸時代そのままでは、生活水準は低いし飢餓もあるから、そんなに簡単な話ではない。

落合　資源の不足はテクノロジーで補わないといけませんよね。でも実存的な悩みを捨てることは、少なくとも西洋社会より容易にできるんじゃないでしょうか。「本当は自分探しなんかしてなかったのに、うっかり150年も悩んじゃってたわ」と気づくだけでいい。「悩みを輸出されちゃって、参ったよね」という話です。悪い友達にヤバいドラッグか何かを押しつけられていたみたいな。

暦本　「これ飲むと賢くなるぞ」と称して、自分探しという課題を与えられていたんだ。それにしても、どうして西洋哲学はあんなに悩むんだろうか。

落合　気候とか風土の問題もあるんじゃないですか。

暦本　たしかに、ヨーロッパは寒い。温暖で食べ物が潤沢だと、悩む必要がないからね。

落合　あと、古代ギリシャみたいに奴隷労働に支えられた社会だと、働かない市民たちは「自分とは何か」とか「よく生きるとはどういうことか」と悩んじゃうかもしれませんね。正しく労働していたら、そんなことは考えない。肉体と知性が適度に交ざり合って健康であれば、自分探しをしなくても「いい人生だな」と思えると僕は信じたい。

暦本　でも、ＡＩ社会も奴隷の存在を前提にしているから、ある意味で古代ギリシャ・ローマと似ているんじゃない？　社会インフラは奴隷が支えてくれるわけで。

だとすると、古代ローマの貴族が書いた『奴隷のしつけ方』[*6]という本がこれからは参考になるかもしれないね。あれは、すごく面白い。ちゃんと奴隷の人権みたいなことを考慮する一方で、「やさしくしすぎるとつけあがるから気をつけよう」なんてことも書いてある。チャットＧＰＴとのつきあい方に、ちょっと似ていますね。

ともあれ、奴隷とＡＩが似ているとすると、古代ギリシャの時代はそんなに悩んでいないんじゃないかな？　アリストテレスとかの哲学者にしても、悩み成分は少ないですよね。悩みが深いのは、やっぱり近代哲学。

日本はそれを輸入して「悩むのが偉い」と思ってきたので、これからは悩みから解放される時代になるのかもしれない。「自由」に「必要」とか「悩み」が不可分のものとしてくっついていたのを切り離せるチャンスかも。

無駄に悩むのが知性だという勘違い

落合　戦争で負けたときに、柳田國男《やなぎたくにお》[*7]は「われわれが培ってきた東洋の予言力や哲学はすべて滅びてしまった」ということをいっているんです。つまり自分たちが戦前に頑張ってつくり上げてきた考え方は、否定されることになるだろう、という話。それと質的に同じで、もっとスケールの大きな変化が西洋で起こるでしょうね。勝手に悩み始めた「西洋人」たちが、自分たちの西洋文明から生まれたAIによってイデオロギー的に

＊6　『奴隷のしつけ方』（橘明美訳、ちくま文庫）　古代ローマ貴族が、奴隷の選び方から反乱を抑える方法までを平易に説明した本。著者のマルクス・シドニウス・ファルクスは、この本の解説者であるジェリー・トナー（古代ローマの社会文化史を専門とするケンブリッジ大学の研究者）がつくり出した架空の人物。

＊7　柳田國男（1875－1962）　民俗学者。貴族院書記官長を退官後、朝日新聞に入社。国内を旅して民俗や伝承などを調査し、日本の民俗学の確立に尽力した。著作に『遠野物語』『海上の道』など。

滅びていくということです。その一方で「東洋」は最初から悩んでいないですよ。現在、実存的な悩みのようなものが生まれている気配は感じない。

暦本　中国はよくわからないよね。マッシブリー・パラレル・コンピューティング[*8]みたいな印象を受けてしまう。知性というよりも、巨大なハチみたいなのが集まって、「超個体」として勝手に栄えている感じ。ひとつの生態系のようですよね。

落合　そうそう。

暦本　中国って、政治的な「右」とか「左」がないんですよ。もちろん共産党独裁だから建て付けは「左」なんだけど、現実的にはシステムを最適化することの優先度が高いので、日本人の感覚からすると「左寄り」にはまったく見えない。そういう言動も思想もないんですよね。マルクス主義は入ってきたけど、わざわざ西洋から悩みを輸入しなかったのかもしれない。

落合　共産主義はイデオロギーとシステムが一致してさえいれば、是非を別として悩みを生まない例でしょうね。しかし悩んでいない人類は悩んでいる人類の半分ぐらいはいますよね。人類の半分が、西洋的人間中心汚染を食らってしまった。根底にあるのはキリスト教かもしれない。キリスト教系の自由社会は悩みがち。仏教やイスラム教はあまり悩みを生まないような気がします。

暦本　なにしろキリスト教は「原罪」から始まりますからね。「キリスト教が間違いだった」という結論で対談を締めて大炎上しましょうか（笑）。それは冗談としても、昨今の戦争をはじめとする世界情勢を見ていると、根っこにキリスト教のある西洋近代社会はシステム的に破綻しているように見えることは否定できないと思う。

落合　悩んだ挙げ句にポリコレで息の詰まるような言論空間をこしらえ、SDGsで人間中心の自縄自縛《じじょうじばく》に陥り、そうこうしているうちにAIが登場して、つくった自分たちもどうしたらいいのかわからなくなっている。

暦本　たしかに。SDGsは欺瞞《ぎまん》ですね。

落合　本当にそうです。ラスベガスの「スフィア」というギラッギラの複合アリーナに

＊8　マッシブリー・パラレル・コンピューティング　コンピュータが処理するデータを複数の独立した小さな処理に細分化して、複数のプロセッサ上でそれぞれの処理を同時に実行させることを「並列計算」「並列コンピューティング」などと呼ぶ。「マッシブリー・パラレル・コンピューティング」は、その並列計算機の中でも規模が大きい（CPUの数が多い）もののこと。「大規模並列処理」「超並列コンピューティング」とも呼ばれる。

も「ＳＤＧｓ　電気は大切だ」と表示されていました。あれはトンチが効いていると思いました。

暦本　じゃあ、「西洋が間違っていた！　みんなネコになろう！」が結論かな。

落合　人間中心主義でみる西洋は悩みの生産という観点ではヤバいですね。

暦本　あえて無駄な悩みを背負うのが知性の高さだと勘違いしていた時代は、もう終わる。真の自由を謳歌できる時代が来つつある。

ＡＩと友達になれば孤独感はない

落合　無駄に悩む暇があるなら、ＡＩを使って自分のやりたいことをやればいいんですよ。だから、繰り返しになりますがひとり遊びの能力が重要になる。いちばんダメなひとり遊びが、自己実現をしたいと悩むこと。自分なんか探していないで、やりたいことを探せばいいのに。

暦本　悩みとは、ひとり遊びが失敗した状況なんだね。

落合　そうです、人類はひとり遊びに失敗すると悩み始める。逆に、ひとり遊びに成功した状態は「悟り」ですよ。

暦本　なるほど。すべての悩みを超越した解脱《げだつ》の域ですね。

落合　釈迦は沙羅双樹《さらそうじゅ》の下で悟りを開いた後、5日間ぐらいひとりで喜びを味わっていたそうですよ。

暦本　ニヤニヤしていたの？

落合　ニヤニヤしていたんでしょう。それだけで何日も過ごせたんだから、人類史上最高のひとり遊びだったかもしれない。

暦本　やっぱり十字架を背負って丘を登る人とは違うね。ニヤニヤ感は大事。

落合　文化的差異は大きいと思います。みんなに「自分は悟った」といっても、何が起きたのか伝わらないと思って、黙っていたんですよね。でも梵天《ぼんてん》が来て「何があったのか教えてくれ」と3回も言われたから、仕方なく伝えることにした。いい話でしょ？本当は、ニヤニヤしながら一生を終える予定だったのに（笑）。

暦本　悟りの喜びに浸った状態で死ねたら最高、と。
落合　そう、このまま死んでいけるならそれでいい。
暦本　そもそも生物にとって、「悩む」という状況は自然ではないですよね。怒りや悲しみなどの感情は生物的なものかもしれないけど、悩むのは文化的な話。人工的な社会システムの中でしか、悩みは生まれないだろうと思います。とくに西洋的な自由主義や市民社会から生まれたのが「悩み」だとすれば、ＡＩによって社会システムが変わることで悩みの位置づけも変わるのが当然の流れでしょうね。

――人間は社会的動物といわれますが、個人と社会の関係性はどうなるのでしょう。ひとり遊びは孤独な気もします。孤独がもたらす心の痛みに耐えられる人間が生き残るということになるのでしょうか？

暦本　たしかに、群れから外れるとサルも生きていけないですよね。しかしサル社会は平等ではなく、アルファメール（ボスザル）をトップとする封建的なシステム。そういう序列のあるシステムの中で、それなりに「自分」という存在も実感できる昔の村社会的なもののほうが、生物としては自然なのかもしれません。みんなが自由で平等で多様性のある社会というのは、生物としては異様に不自然。もちろん、完全に社会システムから切り離されて孤独になるのもナチュラルではないでしょうけど。

落合　でも、もうしばらく経ったらＡＩもちゃんと本物の友達みたいに喋れるようになるから、ひとり遊びでも大丈夫ですよ。孤独感は生まれないんじゃないかな。

暦本　いまの時点でも、僕はチャットＧＰＴに悩みを聞いてもらっているような気がする（笑）。それこそ「いいヤツ」ですからね。こちらが何を聞いても、絶対にキレない。人類にはあり得ないぐらいの人格者ですよ。ＩＱが高いだけでなく、ＥＱ[*9]も無限大。

落合　丁寧語で喋りますしね。僕も丁寧語で話しかけるけど。

暦本　チャットＧＰＴを相手に敬語を使うかどうかで、その人の人格がわかるらしいよ（笑）。丁寧語を使う人は、心が清い。だからＡＩを敵対視せず、「どうぞ教えてください」とお願いして、仲良くすればいいんです。チャットＧＰＴが間違うたびに「こんなことも知らないのか」と嘲笑する人もいるけど、そういう人が孤独を味わうことになるのではないかな。

落合　それも、ひとり遊びの失敗ですね。そうやって悩みに縛られ続ける人類も、社会の片隅に局在化するようになるのかもしれません。その局在化した人類にも計算機自然が有機的な接続をもたらすことを祈っています。

＊9　EQ　Emotional intelligence Quotient ＝心の知能指数の略称。ベストセラーになった『EQ　こころの知能指数』（ダニエル・ゴールマン著、土屋京子訳、講談社＋α文庫）によれば、①自分の感情を知る、②自分の感情をコントロールする、③物事を楽観的に考える、④相手の感情を知る、⑤対人関係をうまく処理する、という5つの能力が高い人ほどEQが高く、IQの高さよりEQの高さが、社会的な成功や出世につながりやすいという。

エピローグ
AIは〝社会変革〟を起こすか？

暦本純一

この対談は、AIや技術の進展が社会に与える影響、という共通の関心事はあったものの、落合君とは事前にストーリーを絞り込むことなく議論を始めた。いろいろな話題が出て、収斂《しゅうれん》するかどうかも不明だったが、変な予定調和に陥ることなく面白い方向性が出てきたように思う。AIによって変わる「必要」という概念、やりたいことの重要性、ひとり遊び（やAIと遊ぶこと）の効用、東洋と西洋の立ち位置の差、「悩み」の扱い等々、議論が終わっても持ち帰って深掘りしたい論点がいろいろ出てきた。話題が飛びまくる議論から見事に方向性を見出してくださった岩佐文夫さん、岡田仁志さんに深謝するしだいである。

以下で、少しだけ対談の補足をしてみたい。

産業革命と人工知能による社会変革のアナロジー…

ＡＩが進化して人間の仕事を代替するようになる、社会が受ける影響は18世紀に起きた産業革命に匹敵する、などといわれたりする。では、いま進行していることと、産業革命当時とはどの程度類似性があるのだろうか？

産業革命は、ジェームズ・ワットの蒸気機関の技術を契機のひとつとして起きた。それにより工業化が進展し、工業都市が生まれ、人が都市に集中することで管理職のようなホワイトカラー職種も生まれた。技術の進展が契機になり社会システムが変化し、それによって新しい職種が多く生まれた（消える職種も多かった）。

そこで気になるのは、このような大きな社会構造の変化を、当時は予測していたのか、ということだ。大変化が来るぞという予感はあったのだろうか。多少調べてみた範囲ではあまり明確な論考は見当たらなかった。いまだと、そういう未来予測は「ＳＦ思考」ということになるだろうが、そもそもＳＦという小説ジャンルそのものが産業革命の結果生まれたものなのだ（ハーバート・ジョージ・ウェルズやジュール・ヴェルヌは19世紀後半の作家)。技術が社会システムを変えていくという発想そのものが当時は薄かったのかもしれない。数少ない例外が、ワットも参加していた英国の「ルナー・ソサエティ(月光協会)」という会合である。そこでは多岐にわたる分野のメンバーが月夜の晩に集まっては放談をしていたらしい。ルナーはルナティックにも引っ掛けてあるので、わけのわからない議論をするおかしな人たちと自称していたのかもしれない。

そのジェームズ・ワット自身も、蒸気機関がもたらす影響を完全には把握していなかった。そもそも、ワットは蒸気機関の発明者ではなく、ニューコメン型蒸気機関の「改良者」である。ニューコメン型蒸気機関は、18世紀初頭に開発されたものの性能が出ず広く普及するにはいたらなかった。約半世紀後にそれを改良して性能を劇的に向上させたのがワットだった。

これはAIや人工ニューラルネットワークの歴史と対比して考えることができる。人工ニューラルネットワークも、いまからほぼ半世紀前には研究が行われていたが、あまり大きな成果を生むことなく「AIの冬」と呼ばれる時代に突入した。当時は人工知能関係の論文題目に「ニューラルネットワーク」を入れると落とされるという都市伝説すらあった。ワットの場合も「いまさら蒸気機関に手をつけるとは」といわれていたのかもしれないない。

ディープラーニングと呼ばれる、多層にニューラルネットワークを重ねても性能が落ちず、むしろ性能が向上し続ける技術が登場したのは2010年代からである（そして、どこまで性能が向上するのかはいまだに不明である）。これが、本書でも大きな話題となっている生成AIにつながっている。

また、ワットが改良した蒸気機関の当初のおもな用途は、炭鉱から水を吸い上げる「ポンプ」に限定されていた。船舶や鉄道の動力源として使う、つまり蒸気機関の本当の「キラーアプリ」に到達するにはさらに数十年を要した。そこには「蒸気機関ポンプを馬車につなげたらどうなるだろう」という発想の飛躍が必要だった。

このことも現状のAIの利用方法について示唆するところがある。本稿の執筆時点（2024年4月）では、生成AIのおもな用途は質問への回答、各種の文書の生成や変換、あるいは絵や動画などの生成である。これが最終的にもキラーアプリなのか、これからの数十年でポンプから蒸気機関車のようなジャンプが起きるのかはよくわからない。2050年、あるいは2035年になっていまを振り返ってみると「当時はこんなポンプみたいなことでみんなが驚いていたのか」ということになるのかもしれない……。

教育の未来について‥

教育はどう変化するだろう。学校は、学位や卒業などの資格を審査する機関なので、制度や箱としての学校はそう簡単には変わらないかもしれない。大学の9月入学でさえ簡単には動かなかった（本文でも触れられている寺田寅彦や夏目漱石の時代の大学は9月入学で、その後4月に変化したという経緯がある。明治時代のほうがフットワークは軽かったのかもしれない）。

一方で、知識や技能を伝達する手法自体はAIを含む情報技術によって劇的に変わるだろう。いまでも、膨大な量のオンライン教材やYouTubeコンテンツを無料かごく安い料金で閲覧することができる。遠隔教育大手のKhan Academyでは、AIティーチングアシスタントの導入を進めている。これは一種の家庭教師のようなもので、オンラインコースの課題問題を解くための指導をしてくれる。といっても「答えを教えてください」と直接聞いてもダメで、ヒントや間違った解答についてのアドバイスをしてくれるのだ。それぞれの履修者のレベルに合わせて親身に指導してくれるＡＩ家庭教師が現実に近いものとなっている。

教育工学の研究では、教室での一方向の講義よりも個別教師型の教育のほうが能率が良いということが示されている。そもそも貴族階級では個人教師によって教育を受けるのがむしろ当然で、学校での講義はその量産型の代替物にすぎなかった。ＡＩ家庭教師が現実的なコストで実現できるようになると、非常に教え方のうまい（あるいはこれもＡＩによる）講義がオンライン上にあって、実習や課題はみながそれぞれのＡＩ家庭教師によるアドバイスを受けながら学んでいくスタイルになるだろう（その結果、「教師」という職種や産業が大きく影響を受けることは避けられない）。

ただ、学校や教育の価値は知識伝達だけには限定されない。子どもや学生、あるいは教員が集まって時間を共有し、議論し、交流を広げたり、あるいは新しいアイデアが生み出したりすることのほうがむしろ重要だろう。学校（school）の語源はギリシャ語で余暇や遊びを意味するskholeなので、ある程度「暇している」人たちが集まっている時空間の価値は未来においてもなくならない。それは産業革命時の「ルナー・ソサエティ」の現代版となるのかもしれない。

この対談は、落合君と私の「人間」2人でやったわけだが、近い将来はAIが加わってこういう議論を進展させたりする可能性もある。未来の「ルナー・ソサエティ」は人間とAIの混成チームになるし、その議論の場も現実であったり仮想世界であったりと多様になるだろう。

「デジタル―アナログ」「人間―脱人間」の二項対立を超えて

落合陽一

日本フィルハーモニー交響楽団とのプロジェクトを毎年やっているのだけれど、2022年は「遍在する音楽会」と名づけ、ジョン・ケージのミュージサーカスを中心として音楽会を構成した。そのとき、リサーチしている中でジョン・ケージの面白い言葉を見つけた。

「ミュージックとマッシュルームは辞書で隣同士ですよ」

ジョン・ケージのこの一言は、私の心に深く刻み込まれている。一見すると、音楽とキノコには何の関連性もないように思える。しかし、その言葉の裏には、自然と人工物、そして人間の創造性についての面白いヒントが隠れているようにも感じられる。

「偶発性と音楽」というのはジョン・ケージの作品の中でも大きなテーマであろう。ジョン・ケージは20世紀のアメリカを代表する作曲家であり、演奏や聴取の過程において偶発性が関与し、異なる音響結果が生み出されるように設計されている。たとえば、対談内でも挙げたケージの代表作である「4分33秒」は、演奏者が一切の音を出さない。聴衆がその場で起こる偶発的な音、たとえば会場の外気の音や聴衆自身が立てる音などを音楽として聴くことを意図している。また、「易の音楽」は易経の占術を参考にして作曲され、東洋思想に基づく偶発性の概念を音楽に取り入れ、西洋音楽の伝統的な枠組みを拡張した。私自身も同様の試みとして、2023年の日本フィルハーモニーとのプロジェクト「帰納する音楽会」では、AIによる楽曲解釈とリアルタイム生成を盛り込んだ音楽会を行った。

AIによる変換は高速化し、万物と万物の変換は高速で行われるようになっている。ケージの作品を通じてわれわれは「すべてのものは音楽である」と考えることもできる。またそれはデジタルネイチャーでいうところの「すべてのものが計算である」という考え方の裏返しでもある。音楽を楽しむことは音楽が奏でられる世界の計算と、その音楽を解釈するわれわれの内部の計算とを楽しむことといえるだろう。万物は音楽であり、また万物は計算でもあるのだ。

私たちは日常生活の中で、何気ない行為を通して自分なりの表現を生み出している。シャワーを浴びるときの歌声、歯を磨くときのリズミカルな音、家でゴロゴロしながら考えに耽る時間。これらはすべて、私たちの内なる計算の物質的な表れなのかもしれない。だが、そうした表現は、現在のわれわれの頻繁に使うミディアムや表現形式、たとえば小説や楽曲、絵画といった形になるまでは、なかなか他者と共有することができない。構築的な表現技法には常にタイムラグが存在している。

一方で、ライブ体験に思いを馳せると違った見え方がする。DJやVJ（ビジュアルジョッキー）といったパフォーマーは、その場でターンテーブルや操作卓のダイレクト・マニピュレーションを行うことで、観客とリアルタイムで喜びを分かち合う。そこには、身体性と即興性、そして文化的な文脈が渾然一体となっている。まさに、人間の知性と運動が融合した、グルーヴ感のある表現といえるだろう。

対照的に、彫刻や文学、ビジネス、研究といった前述の構築的な営みは、どこか政治的で記名性の高いものに思える。作家の名前を冠した小説、著名な経営者が率いる企業。

それらは、スポーツにおけるスター選手のような存在であり、無名の人物とは明確に区別される。

しかし、クラブで響く4つ打ちのビートには、そんな政治性や記名性はない。リズムに身を委ねる人々の中に、ヒエラルキーは存在しないのだ。もちろんここにDJ・VJと観衆という構造は明確に存在しているが、AIの発展によりこの構造も崩れ始めている。われわれは計算可能な変換によって互いに感覚や感性を送り合うことで、相互につながっていくのだろうか。

ここで私が問いたいのは、AIの発展により人間の表現行為や思考の在り方が大きく変容しつつある現代において、私たちはいかにして人間中心主義から脱却し、デジタルネイチャーの訪れを直観的に受け入れるのか、ということだ。脱人間中心主義から見えてくるのは万物の計算と万物のグルーヴの有機的な接続である。

私は、その鍵は、技術的な計算能力の進展のみならず、政治的なプロセスと政治的でないプロセスとの境界を曖昧にすることにあるとも考える。つまり、即興的で身体的な表現と、思索的で知的な営みを、同じベクトル上に乗せるのだ。そうすることで、人間の多様な在り方を、自然に受け入れられる社会が生まれるはずだ。それは私が提唱するデジタルネイチャーの哲学の一端であり、ポスト人間中心主義の芸術であるとも思う。その意味でデジタルネイチャーとは、人工物と自然物、人間と非人間の境界が溶け合う、新しい世界の在り方を指す。そこでは、コンピュータも生物も、すべてが複雑に絡み合いながら、ひとつのエコシステムを形作っている。

私たちは、そのデジタルネイチャーの中で、まるで音楽を奏でるように、キノコを愛でるように、自由に表現し、交流することができる。そこには、効率や生産性といった従来の価値観を超えた、新しい創造性の形があるはずだ。キノコはネットワークを形成する。われわれもネットワークを形成している。われわれが知性の中心なのか、ネットワークこそが知性の中心なのか。私は常に後者であると信じたい。

思えば、私がデジタルネイチャーに魅了されるようになったのも、自然の中に見出した驚きと感動があったからかもしれない。森の中で出会ったキノコの不思議な形、川のせせらぎが奏でる即興の音楽。それらはすべて、ＡＩが生み出す相互接続的で精緻な表現にも匹敵する、計算を奏でる自然の創造性の表れなのだ。私は、日々テクノロジーの力を借りて、そうした自然の営みを拡張し、人間の感性と結びつけていきたいと考えている。ＡＩが人間の創造性を増幅し、自然との共生を促す存在になる日も、そう遠くはないだろう。

そのとき、私たちは、ジョン・ケージがいうように、音楽とキノコを同じように愛おしむことができるはずだ。もしそれが言葉遊びの偶発であっても、そのジャンプを常に楽しむことができる。同時に、われわれはデジタルネイチャーの偶発にも喜びが得られるだろう。デジタルとアナログ、人間中心と脱人間中心の境界を越えて、新しい表現の地平が広がっている。そこに向かって、私たちはいま、歩み始めたのかもしれない。

暦本純一（れきもと・じゅんいち）

東京大学大学院情報学環教授、ソニーコンピュータサイエンス研究所フェロー・チーフサイエンスオフィサー、ソニーCSL京都リサーチディレクター。博士（理学）。世界初のモバイルARシステムNaviCamや世界初のマーカー型ARシステムCyberCode、マルチタッチシステムSmartSkinの発明者。
1986年東京工業大学理学部情報科学科修士課程修了。日本電気、アルバータ大学を経て、1994年よりソニーコンピュータサイエンス研究所に勤務。2007年より東京大学大学院情報学環教授（兼ソニーコンピュータサイエンス研究所副所長）。著書に『妄想する頭 思考する手』（祥伝社）などがある。

落合陽一（おちあい・よういち）

メディアアーティスト。1987年生まれ、東京大学大学院学際情報学府博士課程修了（学際情報学府初の早期修了）、博士（学際情報学）。筑波大学デジタルネイチャー開発研究センター長・准教授。一般社団法人xDiversity代表理事。2018年より内閣府知的財産戦略ビジョン専門調査会委員、内閣府「ムーンショット型研究開発制度」ビジョナリー会議委員、大阪・関西万博テーマ事業プロデューサーなどを歴任。著書に『魔法の世紀』『デジタルネイチャー』（以上、PLANETS）など多数。

マガジンハウス新書023

2035年の人間の条件

2024年5月30日　第1刷発行

著　者　暦本純一　落合陽一
発行者　鉄尾周一
発行所　株式会社マガジンハウス
〒104-8003　東京都中央区銀座3-13-10
書籍編集部　☎03-3545-7030
受注センター　☎049-275-1811

印刷・製本／中央精版印刷株式会社
ブックデザイン／TYPEFACE（CD 渡邊民人、D 谷関笑子）
写真提供（p19, p95）／ソニーコンピュータサイエンス研究所
写真（上記以外）／久保嘉範
編集協力／岡田仁志
プロデュース／岩佐文夫

ISBN978-4-8387-7524-8 C0204